EX LIBRIS

ZJEZDNE ZBOCZE

SERIA NIEFORTUNNYCH ZDARZEŃ

KSIĘGA DZIESIĄTA

ZJEZDNE ZBOCZE

Lemony Snicket

Ilustrował Brett Helquist

Tłumaczenie Jolanta Kozak

EGMONT

*

Tytuł serii: *A Series of Unfortunate Events*
Tytuł oryginału: *The Slippery Slope*

Text copyright © 2003 by Lemony Snicket
Illustrations copyright © 2003 by Brett Helquist

First Edition, 2003 HarperCollins
Published by arrangement with HarperCollins Children's Books,
a division of HarperCollins Publishers, Inc.

From *A Series of Unfortunate Events. The Slippery Slope*
by Lemony Snicket.
Cover illustration copyright © 2003 Brett Helquist.
Published by Egmont Books Limited, London and used with
permission.

© for the Polish edition by Egmont Polska Sp. z o.o.,
Warszawa 2004

Redakcja: Hanna Baltyn
Korekta: Anna Sidorek

Wydanie drugie, Warszawa 2005
Wydawnictwo Egmont Polska Sp. z o.o.,
ul. Dzielna 60, 01-029 Warszawa
tel. (0-22) 838 41 00
www.egmont.pl/ksiazki

ISBN: 83-237-2099-1

Opracowanie typograficzne i łamanie: SEPIA, Warszawa
Druk: Edica SA, Poznań

*

Dla Beatrycze
Kiedyśmy się poznali, ty byłaś całkiem-całkiem,
a ja byłem sam.
Teraz zostałem całkiem sam.

Pierwszy

Mój znajomy napisał kiedyś wiersz pod tytułem *Droga rzadko uczęszczana*. Opisał w nim swoją przeprawę przez las ścieżką, z której mało kto korzysta. Poeta przekonał się, że droga rzadko uczęszczana gwarantuje, co prawda, ciszę, ale także samotność, co musiało obudzić w nim lekki niepokój – gdyby bowiem coś złego przytrafiło mu się na drodze rzadko uczęszczanej, inni podróżni, wędrujący drogą bardziej uczęszczaną, nie usłyszeliby jego wołania o pomoc. Oczywiście, poeta ten już nie żyje.

Podobnie jak umarły poeta, nasza książka wkracza, że tak powiem, na drogę rzadko uczęszczaną, gdyż zaczyna się opisem sierot Baudelaire na wąskiej, rzadko odwiedzanej przez turystów ścieżce w Górach Grozy, a kończy w spienionych wodach Padłego Potoku, do którego w ogóle mało kto się zbliża. Ale książka nasza idzie drogą rzadko uczęszczaną również z tego powodu, że – w przeciwieństwie do ulubionych książek większości czytelników – nie snuje historyjek o uroczych ludziach i gadających zwierzętach, lecz przedstawia opowieść ponurą i mrożącą krew w żyłach, a osoby, które mają nieszczęście być jej bohaterami, są raczej ekscentryczne niż urocze – co do zwierząt zaś, to wolę się w ogóle o nich nie wypowiadać. Dlatego nie mogę was namawiać do czytania tej przygnębiającej książki, tak jak nie namawiałbym do samotnego błąkania się po lesie, gdyż jest więcej niż prawdopodobne, że tak jak na drodze rzadko uczęszczanej, przy lekturze tej książki poczujecie się samotni, nieszczęśliwi i pozostawieni bez pomocy.

Sieroty Baudelaire nie miały jednak innego wyjścia, jak tylko podążać drogą rzadko uczęszczaną. Dwoje starszych Baudelaire'ów, Wioletka i Klaus, podróżowało barakowozem, który z wielką prędkością pędził stromą górską ścieżką. Ani Wioletka, która miała czternaście lat, ani Klaus, który niedawno skończył trzynaście, nie przypuszczali, że znajdą się kiedyś na tej drodze – chyba że z rodzicami na wspólnych wakacjach. Jednak rodzice Baudelaire'ów przepadli bez śladu po strasznym pożarze, który strawił ich dom – chociaż dzieci miały powody przypuszczać, że jedno z rodziców mimo wszystko ocalało – a barakowóz nie wspinał się ku szczytom Gór Grozy, gdzie podobno mieściła się tajna kwatera główna, którą dzieci miały nadzieję odnaleźć. Barakowóz staczał się w dół, i to w szalonym tempie, i nic nie było w stanie go powstrzymać – toteż Wioletka i Klaus czuli się raczej jak ryby we wzburzonym sztormem morzu niż jak podróżni na wakacjach.

Słoneczko Baudelaire znajdowało się w sytuacji jeszcze bardziej rozpaczliwej. Najmłodsze z Baudelaire'ów nie umiało jeszcze mówić językiem dla wszystkich zrozumiałym, więc nie znało nawet słów na opisanie swej trwogi. Słoneczko podróżowało pod górę, w stronę kwatery głównej ukrytej w Górach Grozy, automobilem, który działał bez zarzutu – tyle że kierowcą automobilu był osobnik budzący grozę. Niektórzy nazywali go łotrem. Inni – kanalią, co jest wymyślnym odpowiednikiem słowa „łotr". Wszyscy natomiast nazywali go Hrabią Olafem – chyba że paradował akurat w przebraniu i kazał się nazywać fałszywym imieniem. Hrabia Olaf był aktorem, lecz porzucił karierę teatralną, odkąd zaczął dybać na gigantyczną fortunę, pozostawioną w spadku przez rodziców Baudelaire. Chociaż intrygi, jakie knuł dla zdobycia tej fortuny, były wyjątkowo podłe i pokrętne, Hrabia Olaf znalazł sobie narzeczoną, w osobie niegodziwej i stylowej Esmeraldy Szpetnej, która siedziała właśnie obok niego, trzymała na kolanach Słoneczko i chichotała ze złośliwą satysfakcją. W aucie znajdowało się ponadto kilkoro ludzi Olafa: mężczyzna z hakami zamiast dłoni, dwie kobiety upudrowane na biało i trójka nowych kamratów, których Olaf zwerbował ostatnio w wesołym miasteczku zwanym Karnawał Kaligariego. Sieroty Baudelaire, które też przebywały wówczas w wesołym miasteczku – rzecz jasna, w przebraniu – próbowały oszukać Olafa, udając, że też są po jego stronie, on jednak zwęszył ich fortel, co tu znaczy: „poznał, kim są naprawdę, i przeciął węzeł liny łączącej barakowóz z automobilem, zatrzymując w swoich łapskach Słoneczko, a Klausa i Wioletkę spuszczając w dół na pewną zgubę". Uwięzione w samochodzie Słoneczko, czując na ramionkach ostre pazury Esmeraldy, martwiło się o swoje przyszłe losy i o obecny los Klausa i Wioletki, których krzyki coraz słabiej dobiegały do pędzącego naprzód automobilu.

– Trzeba zatrzymać ten barakowóz! – wrzasnął Klaus, błyskawicznie zakładając okulary, jakby poprawą wzroku chciał wpłynąć na poprawę sytuacji. Niestety, nawet ujawniona z pełną ostrością sytuacja przedstawiała się dramatycznie. W barakowozie mieszkali do niedawna pracownicy wesołego miasteczka, występujący w Gabinecie Osobliwości, lecz zdezerterowali – co tu oznacza:

„przyłączyli się do odrażającej bandy kompanów Hrabiego Olafa" – a sprzęty ich opuszczonego gospodarstwa klekotały teraz i podskakiwały na każdym wyboju górskiej drogi. Klaus w ostatniej chwili uchylił się przed spadającą z półki patelnią, na której garbaty Hugo smażył kiedyś frykasy dla całej grupy. Zaraz potem uskoczył przed sunącym po podłodze kompletem domina – ulubionej gry ekwilibrystki Colette. I skulił się pod hamakiem, rozbujanym zamaszyście tuż nad jego głową. W tym hamaku sypiał swego czasu oburęczny osobnik imieniem Kevin, który, podobnie jak Hugo i Colette, przystał do trupy Olafa. Teraz hamak Kevina mógł w każdej chwili spaść i uwięzić pod sobą Baudelaire'ów.

Pocieszający był w tym wszystkim tylko widok Wioletki, która z namysłem rozglądała się po barakowozie, rozpinając koszulę, służącą starszym Baudelaire'om za wspólne przebranie.

– Pomóż mi wydostać się z tych głupich pantalonów, w których oboje tkwimy – powiedziała Wioletka. – Nie ma sensu dalej udawać dwugłowca, teraz każde z nas musi mieć przede wszystkim pełną swobodę ruchów.

Baudelaire'owie wyłuskali się błyskawicznie z wielkiego kostiumu, wykradzionego z zestawu dla przebierańców Hrabiego Olafa i, już w normalnych ubraniach, skupili swe wysiłki na zachowaniu równowagi w roztrzęsionym barakowozie. Klaus, uskakując przed spadającą właśnie na ziemię rośliną doniczkową, zdążył jednak zerknąć na siostrę – i uśmiechnął się. Wioletka związywała wstążką włosy, aby nie spadały jej na oczy – a był to pewny znak, że obmyśla jakiś wynalazek. Nadzwyczajne zdolności techniczne Wioletki ocaliły już życie Baudelaire'om w niezliczonych sytuacjach, więc Klaus i teraz miał pewność, że jego siostra wykombinuje coś, co zatrzyma szaleńczy bieg barkowozu.

– Skonstruujesz hamulec? – spytał Klaus.

– Jeszcze nie – odparła Wioletka. – Hamulec blokuje koła pojazdu, ale koła naszego barakowozu kręcą się za szybko. Najpierw pozdejmuję hamaki i zrobię z nich spadochron opóźniający.

– Spadochron opóźniający?

– Taki, który mocuje się z tyłu pojazdu – wyjaśniła pospiesznie Wioletka, usuwając się przed najazdem rozklekotanego wieszaka na ubrania. Potem wspięła się na palce i sprawnie zdjęła ze ściany hamak, w którym sypiali w barakowozie oboje z Klausem. – Za pomocą tego urządzenia kierowcy rajdowi zmniejszają prędkość wozu pod koniec wyścigu. Gdy wywieszę te hamaki za drzwi barakowozu, my też powinniśmy znacznie zwolnić.

– A co ja mam robić? – spytał Klaus.

– Zajrzyj do spiżarki Hugona i poszukaj czegoś lepkiego.

Gdy otrzymujemy dziwne polecenie bez żadnych dodatkowych wyjaśnień, bardzo trudno powstrzymać się przed pytaniem: „Ale po co?" – Klaus jednak już od dawna nauczył się ufać pomysłom siostry, toteż bez słowa pospieszył do sporego kredensu, w którym Hugo przechowywał produkty spożywcze. Uchylone drzwi kredensu trzepotały na zawiasach, jakby szarpał je od środka jakiś duch, lecz na szczęście większość zapasów wciąż hurgotała wewnątrz. Na widok kredensu Klaus pomyślał o swojej małej siostrzyczce, która oddalała się coraz bardziej. Pomimo młodego wieku Słoneczko zaczęło się ostatnio interesować sprawami kulinarnymi. Jak dotąd wymyśliło oryginalny przepis na gorącą czekoladę i ugotowało pyszną zupę, którą zachwycali się wszyscy lokatorzy barakowozu. Wspominając te osiągnięcia, Klaus przytrzymał drzwiczki kredensu i zajrzał do środka – miał nadzieję, że Słoneczko przeżyje, aby dalej rozwijać swój talent kulinarny.

– Klaus! – przywołała go do porządku Wioletka, która właśnie zdjęła ze ściany drugi hamak i przywiązywała go do pierwszego. – Nie chcę cię popędzać, ale musimy jak najszybciej zatrzymać barakowóz. Znalazłeś coś lepkiego?

Klaus ocknął się z zamyślenia i wziął do roboty. Gdy przeglądał butelki i słoiki z wiktuałami, do jego stóp przyturlał się fajansowy dzbanek.

– Tu jest mnóstwo lepkich rzeczy – oznajmił. – Widzę melasę, miód z dzikiej koniczyny, syrop kukurydziany, zwietrzały ketchup, mus jabłkowy, dżem truskawkowy, sos karmelowy, syrop klonowy, lukier waniliowy, likier maraschino, oliwę z oliwek, zwykłą i z pierwszego tłoczenia, kandyzowaną skórkę cytrynową, suszone morele, konfiturę z mango, *crema di noci*, pastę tamaryndową, ostrą musztardę, galaretkę owocową, przecier kukurydziany, masło orzechowe, winogrona w syropie, krem o smaku toffi, mleko skondensowane, mus z dyni i klej. Nie mam pojęcia, po co Hugo trzymał klej w kredensie, ale to nieważne. Co ci się przyda?

– Wszystko – odparła bez wahania Wioletka. – Spróbuj to w czymś wymieszać, a ja tymczasem powiążę do końca hamaki.

Klaus podniósł dzbanek i zaczął wlewać do niego wszystko po kolei, a tymczasem Wioletka, siedząc na podłodze dla lepszego zachowania równowagi, zebrała końce hamaków i zaczęła splatać je w węzeł. Barakowóz trząsł coraz gwałtowniej, a z każdym jego podskokiem Baudelaire'om robiło się ciut niedobrze, jakby znów żeglowali po wzburzonych wodach Jeziora Łzawego, spiesząc na ratunek swej opiekunce, równie pechowej jak cała reszta ich licznych opiekunów. Mimo tak niesprzyjających warunków już po paru chwilach Wioletka wstała z ziemi, ledwo obejmując powiązane hamaki, a Klaus spojrzał na siostrę i uniósł w górę dzbanek wypełniony po brzegi gęstą, wielobarwną mazią.

– Kiedy powiem „Już!" – rzekła Wioletka – otworzę drzwi pojazdu i wypchnę hamaki na zewnątrz. Ty przejdź w drugi koniec barakowozu. Otwórz to małe okienko i na hasło „Już!" zacznij lać miksturę na koła. Jeśli hamaki zadziałają jako spadochron opóźniający, a lepka substancja przylgnie do kół, barakowóz powinien zwolnić do bezpiecznej prędkości. Muszę jeszcze tylko przytroczyć hamaki do klamki.

– Zawiążesz Diabelski Języor? – spytał Klaus.

– Diabelski Języor nie przyniósł nam, jak dotąd, wiele szczęścia – odparła Wioletka, nawiązując do kilku poprzednich eskapad z użyciem liny. – Tym razem zastosuję Sumak – węzeł mojego własnego pomysłu. Nazwałam go tak na cześć mojej ulubionej śpiewaczki. No, już, zdaje się, że trzyma solidnie. Czy jesteś gotów do polewania kół?

Klaus poszedł w sam koniec barakowozu i otworzył okienko. Dziki turkot kół dał się słyszeć wewnątrz jeszcze donośniej i przez chwilę Baudelaire'owie nie mogli oderwać wzroku od umykającego krajobrazu za oknem. Okolica była najeżona skałami, a droga tak nierówna i kręta, że zdawało się, iż barakowóz lada chwila wpadnie w jamę albo stoczy się w przepaść pod którymś z kanciastych szczytów.

– Tak, chyba jestem gotów – odparł z wahaniem Klaus. – Ale, Wioletko, zanim wypróbujemy twój wynalazek, chciałbym ci coś powiedzieć.

– Jeżeli nie wypróbujemy go natychmiast – ostrzegła Wioletka – możesz już nigdy nie mieć takiej okazji. – Jeszcze raz kontrolnie szarpnęła węzeł i odwróciła się plecami do Klausa. – Już! – zakomenderowała, otwierając na oścież drzwi barakowozu.

Mawia się często, że pokój z widokiem zapewnia dobre samopoczucie i relaks, jeśli jednak pokojem tym jest wnętrze barakowozu, staczającego się na łeb na szyję po stromej, krętej drodze, a widokiem – upiorny łańcuch górski, umykający w tył w zawrotnym tempie, i jeśli na dodatek górski wicher chłoszcze ci twarz i ciska pyłem w oczy – to na pewno o dobrym samopoczuciu i relaksie nie ma mowy. Doznasz raczej uczuć grozy i paniki – tak jak Baudelaire'owie, gdy Wioletka otworzyła drzwi barakowozu. Struchleli na moment, czując dzikie chybotanie pojazdu, patrząc na dziwaczne, kanciaste szczyty Gór Grozy i słysząc przeraźliwy zgrzyt kół barakowozu pokonujących głazy i zwalone pnie. Po chwili jednak Wioletka znów krzyknęła: „Już!" – i oboje z Klausem ruszyli do akcji. Klaus wychylił się przez okno i polewał koła miksturą zawierającą melasę, miód z dzikiej koniczyny, syrop kukurydziany, zwietrzały ketchup, mus jabłkowy, dżem truskawkowy, sos karmelowy, syrop klonowy, lukier waniliowy, likier maraschino, oliwę z oliwek, zwykłą i z pierwszego tłoczenia, kandyzowaną skórkę cytrynową, suszone morele, konfiturę z mango, *crema di noci*, pastę tamaryndową, ostrą musztardę, galaretkę owocową, przecier kukurydziany, masło orzechowe, winogrona w syropie, krem o smaku toffi, mleko skondensowane, mus z dyni i klej. Tymczasem siostra Klausa wypchnęła na zewnątrz połączone hamaki, a jeśli czytaliście już wcześniej cokolwiek o życiu sierot Baudelaire – chociaż mam nadzieję, że nie – to nie zdziwi was, że wynalazek Wioletki zadziałał bez zarzutu. Hamaki natychmiast złowiły rozpędzone powietrze i wydęły się za barakowozem jak dwa wielkie szmaciane balony, skutkiem czego pojazd zwolnił dość znacznie – tak jak zwolniłby uciekinier, gdyby przyszło mu ciągnąć coś za sobą, na przykład ciężki plecak albo szeryfa. Natomiast lepka mikstura sprawiła, że wirujące w obłędnym tempie koła barakowozu zaczęły wytracać impet – całkiem jak uciekinier, który nagle wbiegł na ruchome piaski albo na lazanie. Barakowóz zwalniał, koła obracały się coraz leniwiej, i po niedługiej chwili Baudelaire'owie podróżowali w tempie znacznie bardziej komfortowym.

– To działa! – krzyknął Klaus.

– Jeszcze nie koniec operacji – zauważyła trzeźwo Wioletka, podchodząc do stolika, który przewrócił się w ogólnym zamieszaniu.

Gdy Baudelaire'owie mieszkali w wesołym miasteczku, siadywali przy tym stoliku, by wspólnie układać plany. W Górach Grozy miał on jednak posłużyć zgoła innym celom. Wioletka przeciągnęła stolik do otwartych drzwi i powiedziała:

– Teraz, skoro koła zwolniły, możemy użyć go jako hamulca.

Klaus wylał na koła resztkę lepkiej mikstury i odwrócił się do siostry.

– Jakim sposobem? – spytał.

Ale Wioletka już demonstrowała mu swój sposób. Położyła się na podłodze i trzymając stolik za nogi, wywiesiła blat na zewnątrz barakowozu, tak że dotykał ziemi. Natychmiast rozległo się szuranie i stolik zaczął dygotać w rękach Wioletki.

Trzymała go jednak mocno, wciskając w kamienisty grunt, aby hamulec działał tym sprawniej. Pojazd trząsł coraz mniej, sprzęty i przedmioty należące do pracowników wesołego miasteczka przestały wpadać na siebie, wreszcie, z ostatnim jękliwym zgrzytem, koła wykonały ostatni obrót i wszystko stanęło w miejscu. Wioletka wychyliła się przez otwarte drzwi i podłożyła stolik pod jedno z kół, blokując je od przodu, żeby barakowóz nie zaczął staczać się na nowo. Dopiero wtedy wyprostowała się i spojrzała na brata.

– Udało nam się – powiedziała.

– Nie nam, tylko tobie – poprawił ją Klaus. – To był od początku do końca twój pomysł.

Odstawił dzbanek na podłogę i wytarł ręce ręcznikiem, który spadł z wieszaka.

– Dzbanka jeszcze nie odstawiaj – powiedziała Wioletka, rozglądając się po wnętrzu barakowozu, które przypominało pobojowisko. – Najlepiej zbierzmy wszystko, co może nam się przydać. Bo trzeba będzie jakoś ruszyć barakowóz pod górę, jeżeli chcemy uratować Słoneczko.

– I dotrzeć do kwatery głównej – uzupełnił Klaus. – Mapę, którą znaleźliśmy, ma, co prawda, Hrabia Olaf, ale pamiętam, że kwatera główna mieści się pod Wielkim Zawianym Szczytem, w pobliżu Padłego Potoku. Na pewno będzie tam zimno.

– Ubrań mamy tu pełno – stwierdziła Wioletka, rozejrzawszy się wokoło. – Bierzmy wszystko jak leci, posortujemy na zewnątrz.

Klaus kiwnął głową, podniósł dzbanek i zgarnął stertę ubrań, które pospadały, przykrywając lusterko Colette. Chwiejąc się pod ciężarem tak wielu rzeczy, wysiadł z barakowozu w ślad za siostrą, która niosła duży nóż kuchenny, trzy grube palta i ukulele, na którym czasem grywał Hugo w wolne popołudnia. Podłoga barakowozu zaskrzypiała po raz ostatni pod ich stopami i Baudelaire'owie wyszli w mglisty, pusty krajobraz. Dopiero wtedy zrozumieli, jakie mieli szczęście.

Barakowóz zatrzymał się na samej krawędzi jednego z dziwnych, kanciastych szczytów łańcucha górskiego. Góry Grozy przypominały w zarysie wielkie schody, prowadzące albo wzwyż, między chmury, albo w dół, w gęsty, szary kożuch mgły. Gdyby barakowóz potoczył się odrobinę dalej w kierunku, w którym zmierzał, Baudelaire'owie zlecieliby w zamgloną przepaść, oddzielającą ich od następnego, znacznie niżej położonego stopnia schodów. Natomiast bokiem, wzdłuż barakowozu, płynął Padły Potok, którego dziwne, buroczarne wody toczyły się leniwie w dół jak gęsta struga rozlanego smaru. Gdyby rozpędzony pojazd nieznacznie zboczył, dzieci wpadłyby w ciemne, cuchnące odmęty.

– Wygląda na to, że hamulec zadziałał w samą porę – szepnęła Wioletka. – Inaczej, tak czy owak, byłoby po nas.

Klaus kiwnął głową i rozejrzał się po nieprzyjaznej okolicy.

– Trudno będzie wymanewrować stąd barakowozem – ocenił. – Musisz wymyślić jakieś urządzenie sterownicze.

– I jakiś silnik – uzupełniła Wioletka. – To zajmie sporo czasu.

– Nie mamy w ogóle czasu. Jeśli się nie pospieszymy, Hrabia Olaf odjedzie za daleko i już nigdy nie odnajdziemy Słoneczka.

– Na pewno odnajdziemy Słoneczko – rzekła stanowczo Wioletka i położyła na ziemi przedmioty wyniesione z barakowozu. – Wróćmy tam jeszcze na chwilę i poszukajmy...

Zanim zdążyła nazwać przedmiot poszukiwań, przerwał jej nieprzyjemny trzask. Barakowóz jęknął głucho i zaczął staczać się powoli ku krawędzi urwiska. Baudelaire'owie spostrzegli, że pozostawił za sobą zmiażdżony stolik – a więc nic już nie mogło go powstrzymać od dalszej jazdy. Wolno, niezdarnie, sunął naprzód, wlokąc za sobą hamaki – coraz bliżej i bliżej krawędzi. Klaus schylił się i już-już miał złapać za skraj hamaka, ale Wioletka mu przeszkodziła.

– Wóz jest za ciężki. Nie zatrzymamy go.

– Nie możemy pozwolić, żeby spadł z urwiska! – krzyknął Klaus.

– Pociągnąłby nas za sobą – powiedziała Wioletka.

Klaus wiedział, że siostra ma rację, a mimo to kusiło go, aby uczepić się spadochronu, skonstruowanego przez Wioletkę. Nie jest łatwo w sytuacji bez wyjścia przyznać, że nic nie możemy zrobić, więc i Baudelaire'om nie było łatwo stać i patrzeć bezradnie, jak barakowóz stacza się z krawędzi urwiska. Wydał ostatni trzask, gdy koła podskoczyły na twardej grudzie ziemi – i znikł bez śladu w absolutnej ciszy. Baudelaire'owie podeszli na sam skraj urwiska i spojrzeli w dół, ale mgła była tak gęsta, że zamiast barakowozu ujrzeli tylko blade, prostokątne widmo, które kurczyło się i rozwiewało w przestrzeni.

– Dlaczego nie słychać huku? – spytał Klaus.

– Spadochron opóźnia spadanie – wyjaśniła Wioletka. – Poczekaj jeszcze chwilę.

I rzeczywiście, po chwili z dołu rozległo się stłumione *bum!* – znak, że barakowóz spotkał swoje przeznaczenie. Przez mgłę, co prawda, nic nie było widać, ale dzieci nie miały wątpliwości, że i sam pojazd, i cała jego zawartość, przepadły bezpowrotnie. Przyznam się zresztą, że nawet mnie nie udało się znaleźć żadnych szczątków, mimo iż miesiącami przeczesywałem okolicę, wyposażony tylko w latarkę i słownik rymów. I choć całymi nocami walczyłem z komarami śnieżnymi i modliłem się, aby baterie w latarce nie wysiadły – taki już widać mój los, że niektóre dręczące mnie pytania pozostaną bez odpowiedzi.

Los jest jak dziwna, mało uczęszczana restauracja, gdzie dziwni kelnerzy przynoszą nam dania, których wcale nie zamawialiśmy i które nie zawsze nam smakują. Wioletce i Klausowi, gdy byli mali, zdawało się, że ich los polega na spokojnym dorastaniu pod opieką rodziców w wielkim domu Baudelaire'ów – a tymczasem stracili i dom, i rodziców. Gdy chodzili do Szkoły Powszechnej imienia Prufrocka, myśleli, że zrządzeniem losu ukończą edukację wraz ze swymi przyjaciółmi Bagiennymi – a jednak ani szkoły, ani dwojga trojaczków nie widzieli już od dawna. Chwilę zaś temu wyglądało na to, że los szykuje Wioletce i Klausowi marny koniec na dnie mglistej przepaści albo mętnego strumienia, a tymczasem są nadal cali i zdrowi, jakkolwiek oddaleni znacznie od siostrzyczki i pozbawieni pojazdu, który pozwoliłby im podjąć dalsze poszukiwania Słoneczka.

Wioletka z Klausem przytulili się do siebie w obronie przed lodowatym wichrem, który ciągnął drogą rzadko uczęszczaną od szczytów Gór Grozy, przyprawiając dzieci o gęsią skórkę. Spojrzeli w ciemne, pełne wirów wody Padłego Potoku, spojrzeli w mglistą przepaść pod urwiskiem – w końcu spojrzeli po sobie, i zadrżeli, nie tylko na wspomnienie losu, którego uniknęli, ale i w przeczuciu nieznanych losów, jakie ich czekały.

ROZDZIAŁ DRUGI

Wioletka spojrzała po raz ostatni na zamglony szczyt, sięgnęła po jeden z grubych płaszczy wyniesionych z barakowozu i włożyła go.

– Ty też ubierz się w płaszcz – poradziła bratu. – Tutaj jest zimno, a dalej będzie pewnie jeszcze zimniej. Kwatera główna mieści się podobno bardzo wysoko. Zanim do niej dotrzemy, zmarzniemy tak, że przyda nam się cała ta garderoba.

– Ale jak tam dotrzemy? – zmartwił się Klaus. – Wielki Zawiany Szczyt jeszcze daleko, a barakowóz przepadł z kretesem.

– Przypatrzmy się spokojnie, co my tu mamy. Może uda się skonstruować coś z ocalonych przedmiotów.

– Miejmy nadzieję – rzekł Klaus. – Słoneczko oddala się od nas coraz bardziej. Nie dogonimy go bez jakiegoś pojazdu.

Klaus rozłożył na ziemi wszystko, co sam wyniósł z barakowozu, i ubrał się w płaszcz, a tymczasem Wioletka przejrzała stosik swoich łupów. Oboje szybko stwierdzili, że zbudowanie jakiegokolwiek pojazdu nie leży w zasięgu ich możliwości – co tu oznacza: „że nie da się zmontować środka transportu z przypadkowej zbieraniny akcesoriów i ubrań, należących uprzednio do pracowników wesołego miasteczka". Wioletka znów związała włosy wstążką i z namysłem przyjrzała się garstce ocalałych przedmiotów. Kolekcja Klausa obejmowała dzbanek – wciąż lepki od mazi, którą Klaus polewał koła, aby zwolnić ich obroty – oraz ręczne lusterko Colette, wełniane poncho i bluzę dresową z napisem KARNAWAŁ KALIGARIEGO. Kolekcję Wioletki stanowiły: wielki nóż do chleba, ukulele i jeszcze jeden płaszcz. Nawet Klaus, który nie miał smykałki technicznej, zorientował się, że to

wszystko nie wystarczy do zbudowania wehiku-
łu, który ułatwiłby przeprawę przez Góry Grozy.

– Możemy skrzesać iskrę, pocierając o siebie
dwa kamienie – zasugerowała Wioletka, rozglądając się po zamglonej okolicy za czymkolwiek,
co podsunęłoby jej pomysł wynalazku. – Albo
zacząć grać na ukulele i bębnić w dzbanek. Hałas może ściągnąć pomoc.

– Tylko kto nas tu usłyszy? – zwątpił Klaus,
wpatrując się w smętną mgłę. – Przez cały czas
jazdy barakowozem nie minęliśmy żywej duszy.
Ten szlak przez Góry Grozy przypomina mi
wiersz, który kiedyś czytałem – o drodze rzadko
uczęszczanej.

– Czy wiersz miał szczęśliwe zakończenie? –
spytała Wioletka.

– Ani tak, ani nie – odparł Klaus. – Kończył
się dwuznacznie. Ale mniejsza z tym, zbierzmy
wszystko, co mamy, i ruszajmy w drogę.

– Z całym tym dobytkiem? – stropiła się Wioletka. – Przecież nie wiemy nawet, dokąd mamy
iść, ani którędy.

– Jasne, że wiemy – rzekł Klaus. – Padły Potok wypływa ze źródła wysoko w górach i wije się przez całą dolinę pod Wielkim Zawianym Szczytem, gdzie znajduje się kwatera główna. Trzeba iść w górę wzdłuż potoku – nie jest to pewnie droga najkrótsza ani najłatwiejsza, ale za to doprowadzi nas do celu.

– Ależ to może potrwać wiele dni! – przeraziła się Wioletka. – A my nie mamy ani mapy, ani prowiantów, ani wody pitnej, ani namiotu, ani śpiworów, niczego, co jest konieczne na taką wyprawę.

– Te ubrania posłużą nam za koce – odparł Klaus – a na nocleg zawsze znajdziemy sobie jakieś schronienie. Na mapie zaznaczonych było sporo jaskiń, w których zasypiają na zimę tutejsze zwierzęta.

Brat i siostra spojrzeli sobie w oczy i zadrżeli w zimnym podmuchu wiatru. Perspektywa wielogodzinnej przeprawy przez góry i nocowania pod cudzymi ubraniami w jaskini, zajętej być może przez śpiące zwierzęta, nie należała do przyjemnych. Baudelaire'owie szczerze żałowali, że zamiast z konieczności wędrować drogą rzadko uczęszczaną, nie mogą wsiąść w szybki, dobrze ogrzewany pojazd i szybko dotrzeć do siostrzyczki. Ale nie warto płakać nad rozlanym mlekiem, bo to tylko strata czasu – więc i Baudelaire'owie postanowili przestać żałować i podjąć wędrówkę. Klaus poupychał lusterko i ukulele w kieszeniach płaszcza, dzbanek wziął w rękę, a poncho przerzucił sobie przez ramię. Wioletka, wsadziwszy do kieszeni nóż, podniosła z ziemi bluzę i ostatni zapasowy płaszcz. Oboje spojrzeli po raz ostatni na koleiny wyżłobione w ziemi przez barakowóz, zanim stoczył się z urwiska, i podjęli marsz skrajem Padłego Potoku.

Jeśli zdarzyło wam się odbywać dłuższą wycieczkę z kimś z rodziny, to sami wiecie, że na takiej wycieczce chwilami chce się ludziom rozmawiać, a chwilami nie. Baudelaire'om chwilowo się nie chciało. Wspinali się po stoku góry ku kwaterze głównej, którą mieli nadzieję znaleźć w dolinie pod Wielkim Zawianym Szczytem, nasłuchiwali wichru, który poświstywał głucho, jakby ktoś dmuchał w szyjkę pustej butelki, i dziwacznych gulgotów, jakie wydawały ryby, wystawiające głowy z burych, gęstych wód potoku – ale oboje byli w nastroju milczącym i od początku marszu nie powiedzieli do siebie ani słowa, każde zatopione we własnych myślach.

Wioletka wspominała czasy spędzone wraz z rodzeństwem w Wiosce Zakrakanych Skrzydlaków, gdzie zamordowano tajemniczego mężczyznę imieniem Jacques Snicket, a o morderstwo oskarżono sieroty Baudelaire. Wioletka, Klaus i Słoneczko zdołali wtedy zbiec z więzienia i uwolnić z łap Hrabiego Olafa parę zaprzyjaźnionych trojaczków, Duncana i Izadorę Bagiennych – jednak w ostatniej chwili zostali od nich oddzieleni, gdyż Bagienni odfrunęli w siną dal samowystarczalnym balonowym domem, skonstruowanym przez niejakiego Hektora. Od tamtej pory Baudelaire'owie nie widzieli ani Hektora, ani trojaczków Bagiennych. Wioletka zastanawiała się właśnie, czy przyjaciele są cali i zdrowi i czy zdołali się skontaktować z tajną organizacją, na której ślad natrafili. Organizacja nosiła nazwę WZS, ale czym się konkretnie zajmowała i co oznaczał skrót jej nazwy – tego Baudelaire'owie jak dotąd nie zdołali się dowiedzieć. Mieli nadzieję, że więcej informacji znajdą w kwaterze głównej pod Wielkim Zawianym Szczytem – ale najstarsza przedstawicielka rodzeństwa Baudelaire i w to pomału zaczynała wątpić, brnąc z coraz większym trudem wzdłuż Padłego Potoku.

Klaus też rozmyślał o Bagiennych, chociaż wspominał czasy ich pierwszego spotkania w Szkole Powszechnej imienia Prufrocka. Wielu uczniów tej szkoły – a zwłaszcza wyjątkowo niesympatyczna Karmelita Plujko – odnosiło się do Baudelaire'ów z wrogością, ale Duncan i Izadora byli dla nich bardzo mili, toteż wkrótce Baudelaire'owie i Bagienni stali się nierozłączni, co tu znaczy: „zostali bliskimi przyjaciółmi". Zbliżyło ich między innymi to, że i jedni, i drudzy stracili najbliższe osoby. Baudelaire'owie, jak wiemy, utracili oboje rodziców, a Bagienni – nie tylko rodziców, ale i brata imieniem Quigley, trzeciego z trojaczków Bagiennych. Na wspomnienie tragedii Bagiennych Klaus poczuł lekki wyrzut sumienia, gdyż istniała możliwość, że któreś z jego rodziców jednak żyje. Znaleziony przez Baudelaire'ów dokument zawierał zdjęcie, przedstawiające ich rodziców z Jacques'em Snicketem i jeszcze jednym panem, podpisane: „Na podstawie dowodów opisanych szczegółowo na str. 9 eksperci przychylają się do opinii, że z pożaru przypuszczalnie ocalała jedna osoba, lecz miejsce jej aktualnego pobytu jest nieznane". Klaus i teraz miał ten dokument w kieszeni, razem z nielicznymi strzępami notesów Bagiennych, które ci zdołali mu przekazać. Drepcząc obok siostry, rozmyślał o zagadce WZS i o szlachetności Bagiennych, którzy z takim poświęceniem pomagali Baudelaire'om w rozwiązaniu otaczającej ich tajemnicy. Tak pogrążył się w rozmyślaniach, że gdy Wioletka w końcu przerwała ciszę, poczuł się jak wyrwany z głębokiego, niepokojącego snu.

– Klaus – odezwała się Wioletka. – Kiedy jeszcze byliśmy w barakowozie, chciałeś mi coś powiedzieć przed wypróbowaniem wynalazku, ale cię powstrzymałam. Pamiętasz, co to było?

– Nie bardzo – przyznał Klaus. – Po prostu chciałem powiedzieć ci coś ważnego na wypadek... na wypadek, gdyby wynalazek nie zadziałał. – Westchnął i spojrzał w ciemniejące niebo. – Nie pamiętam ostatnich słów, które wypowiedziałem do Słoneczka – szepnął ze smutkiem. – To musiało być w namiocie Madame Lulu albo zaraz po wyjściu z namiotu, zanim wsiedliśmy do barakowozu. Gdybym wiedział, że Hrabia Olaf porwie naszą siostrzyczkę, postarałbym się powiedzieć jej coś ważnego. Na przykład, że przyrządza świetną gorącą czekoladę albo że fantastycznie radzi sobie w przebraniu.

– Jeszcze zdążysz jej to wszystko powiedzieć, gdy znów się spotkamy – zapewniła go Wioletka.

– Mam nadzieję – mruknął ponuro Klaus. – Ale zostaliśmy daleko w tyle za Olafem i jego trupą.

– Nie szkodzi, za to wiemy, dokąd zmierzają, i możemy mieć pewność, że Słoneczku włos z głowy nie spadnie. Hrabia Olaf jest przekonany, że my dwoje zginęliśmy w rozbitym barakowozie, więc jeśli chce położyć łapę na naszej fortunie, Słoneczko jest mu niezbędne.

– Może i włos jej z głowy nie spadnie – przyznał Klaus – ale na pewno strasznie się boi. Oby tylko wierzyła, że ją dogonimy.

– Oby – powtórzyła jak echo Wioletka.

Potem znów przez chwilę szli w ciszy, przerywanej tylko poświstywaniem wiatru i dziwacznym gulgotaniem ryb.

– Te ryby, moim zdaniem, ledwo oddychają – stwierdził Klaus, wskazując palcem potok. – Woda musi zawierać coś, od czego się krztuszą.

– Może Padły Potok nie zawsze ma taki wstrętny kolor – powiedziała Wioletka. – Co może zmienić zwykłą wodę w szaroczarny śluz?

– Ruda żelaza – odparł po namyśle Klaus, usiłując przypomnieć sobie szczegóły książki o środowisku naturalnym w rejonach wysokogór-

skich, którą czytał mając lat dziesięć. – Albo zło-
ża gliny, które osunęły się wskutek trzęsienia
ziemi lub innych przemieszczeń geologicznych.
Albo zanieczyszczenia przemysłowe. Na przykład gdzieś w pobliżu może się znajdować fabry-
ka atramentu albo cukierków ślazowych.

– Może wyjaśni nam to ktoś z WZS, gdy dotrzemy do kwatery głównej – powiedziała Wioletka.

– Może na przykład któreś z naszych rodziców – szepnął Klaus.

– Nie róbmy sobie zbyt wielkich nadziei. Nawet jeśli któreś z naszych rodziców przeżyło pożar i nawet jeśli kwatera główna WZS znajduje
się w dolinie pod Wielkim Zawianym Szczytem,
to i tak nie wiadomo, czy się tam spotkamy.

– Nie widzę nic złego w robieniu sobie nadziei – powiedział Klaus. – Wleczemy się brze-
giem skażonego potoku, w ślad za podłym łotrem, żeby uwolnić porwaną siostrę i odnaleźć
kwaterę główną tajnej organizacji. Mnie osobiście przydałaby się odrobina nadziei.

Wioletka zatrzymała się.

– A mnie przydałoby się jeszcze coś na grzbiet – powiedziała trzeźwo. – Jest coraz zimniej.

Klaus kiwnął głową i uniósł w górę zapasową sztukę garderoby.

– Co wolisz? – spytał. – Ponczo czy bluzę?

– Ponczo, o ile nie masz nic przeciwko temu – odparła Wioletka. – Po przeżyciach w Gabinecie Osobliwości nie mam jakoś ochoty reklamować Karnawału Kaligariego.

– Ja też nie – rzekł Klaus, biorąc od siostry bluzę z nazwą wesołego miasteczka. – Włożę ją na lewą stronę.

Nie zdejmując płaszczy, aby się nie wystawić na mroźny wicher ciągnący od Gór Grozy, Klaus wcisnął na wierzch wywróconą na lewą stronę bluzę, a Wioletka narzuciła na ramiona ponczo, które okryło ją jak nieforemna kapa. Spojrzeli po sobie. Wyglądali oboje tak komicznie, że musieli się uśmiechnąć.

– To gorsze niż prążkowane garnitury, które sprawiła nam Esmeralda Szpetna – skomentowała Wioletka.

– Albo drapiące swetry, które nosiliśmy u pana Poe – dodał Klaus, wymieniając nazwisko bankiera odpowiedzialnego za nadzór nad fortuną Baudelaire'ów, z którym od dawna stracili kontakt. – Ale przynajmniej jest nam ciepło. Jeśli zrobi się jeszcze zimniej, będziemy wkładać na zmianę zapasowy płaszcz.

– O ile któreś z naszych rodziców faktycznie przebywa w kwaterze głównej – powiedziała Wioletka – może nie poznać nas pod tymi stertami ubrań. Wyglądamy jak dwa wielkie toboły.

Baudelaire'owie podnieśli wzrok na wyniosłe, ośnieżone szczyty i zakręciło im się lekko w głowach – nie tylko z powodu wysokości Gór Grozy, ale i z powodu natłoku dokuczliwych pytań i wątpliwości. Czy zdołają o własnych siłach dotrzeć do doliny pod Wielkim Zawianym Szczytem? Jak wygląda kwatera główna? Czy WZS przyjmie ich życzliwie? Czy Hrabia Olaf dotrze do kwatery przed nimi? Czy odnajdą Słoneczko? Czy zastaną tam któreś z rodziców? Wioletka z Klausem spojrzeli po sobie bez słowa i zadrżeli pod osłoną swoich dziwacznych strojów. W końcu Klaus przerwał ciszę pytaniem, które jeszcze bardziej zamąciło obojgu w głowach:

– Jak myślisz, które z naszych rodziców ocalało?

Wioletka już otworzyła usta, aby mu odpowiedzieć, ale w tej samej chwili uwagę jej pochłonęło całkiem inne pytanie. Jest to pytanie straszne i prawie każdy, kto je kiedykolwiek zadał, żałował potem, że to zrobił. Mojemu bratu zdarzyło się to raz w życiu i potem tygodniami prześladowały go koszmary. Mój towarzysz, który także miał nieostrożność postawić to pytanie, zleciał w przepaść, zanim doczekał się odpowiedzi. Ja sam też je zadałem, bardzo dawno temu i bardzo nieśmiało, pewnej kobiecie, która w odpowiedzi wcisnęła na głowę kask motocyklowy i owinęła się czerwoną jedwabną peleryną. Pytanie owo brzmi: „Cóż to za złowieszcza chmara mikroskopijnych, białych, bzyczących obiektów nadciąga w naszą stronę?". Z przykrością informuję was, że odpowiedź brzmi: „Jest to rój świetnie zorga-

nizowanych, złośliwych owadów, zwanych komarami śnieżnymi, które żyją w zimnych rejonach górskich i z upodobaniem kąsają ludzi bez
najmniejszego powodu".

– Cóż to za złowieszcza chmara mikroskopijnych, białych, bzyczących obiektów nadciąga
w naszą stronę? – spytała Wioletka.

Klaus spojrzał w kierunku wskazanym przez
siostrę i zmarszczył brwi.

– Czytałem kiedyś książkę o życiu owadów
górskich, ale nie pamiętam szczegółów.

– Spróbuj sobie przypomnieć – poprosiła
Wioletka, z niepokojem śledząc nadciągający
rój. Złowieszcza chmara mikroskopijnych, białych, bzyczących obiektów wyfrunęła spoza
skały i z daleka przypominała obłok śnieżnej zadymki. Ale ten śnieżny obłok przybierał stop-
niowo kształt strzały, wycelowanej prosto w dzieci i bzyczącej coraz głośniej, jakby z wielkiej
złości.

– To mogą być komary śnieżne – wyraził przypuszczenie Klaus. – Owady te zamieszkują zimne

rejony górskie i charakteryzują się umiejętnością grupowania w wyraziste kształty.

Wioletka odwróciła na chwilę wzrok od śnieżnej strzały, aby spojrzeć na potok i stromy stok górski.

– Całe szczęście, że komary są nieszkodliwe – powiedziała. – Bo nie widzę, jak mielibyśmy się przed nimi uchronić.

– Wiem, że czymś się jeszcze wyróżniają – rzekł z namysłem Klaus. – Ale nie pamiętam, czym.

Rój był już całkiem blisko i jak roztrzepotana biała strzała zawisł w powietrzu tuż przed nosami Baudelaire'ów, bzycząc coraz wścieklej. Trwało to jedną długą, pełną napięcia sekundę – po czym komar stanowiący sam czubek strzały podfrunął i, jakby nigdy nic, ukłuł Wioletkę w nos.

– Au! – skrzywiła się Wioletka.

Komar odleciał na swoje miejsce, a najstarsza przedstawicielka rodzeństwa Baudelaire potarła drobny, czerwony ślad na czubku nosa.

– To zabolało. Jak ukłucie szpilki.

– Już sobie przypomniałem – powiedział Klaus. – Komary śnieżne są złośliwe i z upodobaniem żądlą ludzi bez żadnego powo...

Nie dokończył jednak zdania, gdyż komary śnieżne urządziły nagle upiorny pokaz tego, o czym Klaus informował siostrę. Strzała zaczęła zwijać się leniwie z prądem górskiego wiatru, aż utworzyła wielkie, bzyczące koło, które wirowało wokół Baudelaire'ów niczym świetnie zorganizowane, złośliwe hula-hoop. Pojedyncze komary były tak mikroskopijne, że dzieci nie widziały ich min; miały jednak wrażenie, że owady szczerzą się z szyderczą satysfakcją.

– Czy ich jad jest trujący? – spytała Wioletka.

– Średnio – odparł Klaus. – Od paru ukąszeń nic nam nie będzie, ale od wielu możemy się ciężko pochorować. Au!

Komar ukłuł go w sam środek policzka, jakby sprawdzał, czy zabawnie będzie pomęczyć średniego reprezentanta rodzeństwa Baudelaire'ów.

– Zawsze słyszałam, że owady kąsają tylko wtedy, gdy się je drażni – powiedziała Wioletka. – Au!

– Mało w tym prawdy – odrzekł Klaus. – A w przypadku komarów śnieżnych ani trochę. Au! Au! Au!

– Więc co mamy... Au! – nie dokończyła pytania Wioletka.

– Nie wie... Au! – nie dokończył odpowiedzi Klaus.

Lecz już po chwili nie mogli sobie pozwolić nawet na niedokończone rozmowy. Krąg komarów śnieżnych wirował wokół nich coraz szybciej i ciaśniej, osaczając dzieci jak miniaturowa biała trąba powietrzna. Następnie, serią doskonale wyćwiczonych manewrów, owady przypuściły atak na sieroty Baudelaire, najpierw z jednej strony, a potem z drugiej. Wioletka pisnęła boleśnie, gdy kilka komarów naraz ukąsiło ją w podbródek. Klaus wrzasnął, gdy cała gromada użądliła go w lewe ucho. Oboje z głośnym krzykiem opędzali się od insektów, lecz komary śnieżne, zamiast odlatywać, cięły ich bez litości po rękach. Żądliły z prawa i z lewa. Atakowały z góry i z dołu – tak że Baudelaire'owie to kulili głowy w ramionach, to wspinali się na palce. A do tego przez cały czas buczały chórem coraz głośniej, jakby chciały pokazać dzieciom, że świetnie się bawią. Wioletka z Klausem zamknęli w końcu oczy i zastygli w bezruchu – bali się, że gdy dadzą choć krok na oślep, spadną w przepaść albo w bure wody Padłego Potoku.

– Płaszcz! – krzyknął błyskawicznie Klaus i zaraz wypluł komara śnieżnego, który zdążył wpaść mu w otwarte usta z nadzieją ukąszenia go w język.

Wioletka w lot pojęła hasło, porwała z ziemi zapasowy płaszcz i rozpostarła go nad bratem i sobą jak wielki, sflaczały parasol. Komary śnieżne bzykały wściekle, próbując dostać się pod spód, lecz musiały poprzestać na żądleniu dłoni Baudelaire'ów, przytrzymujących poły płaszcza. Wioletka z Klausem spojrzeli po sobie w półmroku kryjówki i krzywiąc się co chwila od ukąszeń w dłonie, spróbowali podjąć dalszy marsz.

– W ten sposób nigdy nie dojdziemy pod Wielki Zawiany Szczyt – powiedziała Wioletka dosyć głośno, żeby nie zagłuszyły jej komary. – Jak je odpędzić, Klaus?

– Boją się tylko ognia – odparł Klaus. – W książce było o nich napisane, że wystarczy sam zapach dymu, aby utrzymać z dala cały rój. Ale nie rozpalimy przecież ogniska pod płaszczem!

– Au! – Komar śnieżny ukłuł Wioletkę w kciuk, i to dokładnie w ślad poprzedniego ukąszenia. Baudelaire'owie okrążali akurat wyłom skalny, zza którego ukazał im się po raz pierwszy rój komarów. Przez przetarty w jednym miejscu materiał płaszcza zamajaczył im nagle ciemny, kolisty otwór w bocznej ścianie skały.

– To na pewno wejście do jaskini – powiedział Klaus. – Może w środku uda nam się rozpalić ognisko?

– Może – odparła Wioletka. – O ile przypadkiem nie rozjuszymy śpiącego tam zwierzęcia.

– Już i tak udało nam się rozjuszyć tysiące zwierząt – zauważył Klaus, omal nie upuszczając dzbanka, bo komar śnieżny użądlił go w nadgarstek. – Nie mamy chyba wielkiego wyboru. Trzeba dać nura do jaskini i ryzykować.

Wioletka kiwnęła głową, z niepokojem lustrując wejście do jaskini. Z ryzykowaniem jest jak z kąpielą: czasem okaże się, że jest miło i ciepło, a czasem w głębi zaczai się coś strasznego, co dostrzeżemy zbyt późno, gdy nie pozostanie nam już nic, jak tylko wrzasnąć wniebogłosy i uczepić się kurczowo plastikowej kaczuszki. Baudelaire'owie zbliżyli się ostrożnie do ciemnego, kolistego otworu, stąpając jak najdalej od widocznej tuż-tuż krawędzi urwiska i otulając się ciasno płaszczem przed komarami. W tej chwili jednak najbardziej martwiła ich nie głęboka przepaść ani kąśliwe komary, tylko ryzyko, jakie podejmują, zapuszczając się w ponurą czeluść jaskini.

Nigdy przedtem, rzecz jasna, tam nie byli, i – o ile zdołałem ustalić – nie zajrzeli tam już nigdy potem, nawet w drodze powrotnej, gdy już odnaleźli swoją małą siostrzyczkę i poznali sekret Werbalnie Zamrożonych Sloganów. Mimo to zaryzykowali i weszli do środka – tam zaś zastali dwie rzeczy doskonale sobie znajome. Pierwszą był ogień. Ledwie Klaus z Wioletką przekroczyli otwór jaskini, zrozumieli, że nie muszą się już martwić komarami śnieżnymi, gdyż poczuli z bliska woń dymu, a daleko, daleko w głębi groty dostrzegli nawet drobne pomarańczowe płomyki. Ogień był im, jak wiemy, doskonale znany – od woni popiołów, które pozostały po spalonym domu Baudelaire'ów, po swąd pożaru, który strawił Karnawał Kaligariego. Lecz gdy komary śnieżne, uformowane na nowo w szyk strzały, błyskawicznie umknęły sprzed jaskini, a Baudelaire'owie weszli krok głębiej do środka, natknęli się na drugą znajomą rzecz – a raczej osobę, której nie spodziewali się spotkać nigdy więcej.

– Hej tam, zakalce! – zawołał ktoś z czeluści jaskini.

Na ten głos Klaus i Wioletka pożałowali szczerze, że nie zdecydowali się ryzykować gdziekolwiek indziej.

Dziwi was zapewne, i słusznie, że w pierwszych dwóch rozdziałach książki nie wspomniano ani słowem o losach Słoneczka Baudelaire – ale jest po temu kilka powodów. Po pierwsze, znacznie trudniej było ustalić przebieg podróży Słoneczka w samochodzie Hrabiego Olafa. Ślady kół automobilu dawno się pozacierały, a nawet sama droga zasypana została niemal doszczętnie przez liczne zadymki i lawiny, nawiedzające regularnie Góry Grozy. Nieliczni świadkowie podróży Olafa w większości albo poumierali w tajemniczych okolicznościach, albo ze strachu nie odpowiedzieli na moje listy, telegramy i kartki okolicznościowe z prośbą o udzielenie wywiadu. Nawet odpadki powyrzucane po drodze przez okno z samochodu Olafa – najlepszy dowód, że jechali tamtędy źli ludzie – pozbierano na długo, zanim podjąłem dochodzenie. Brak odpadków na drodze to dobry znak, że niektóre zwierzęta powróciły w Góry Grozy i zadomowiły się tam na nowo – mnie jednak utrudniło to znacznie skompletowanie relacji z podróży Słoneczka.

Jeśli jednak interesuje was, co porabiało Słoneczko w czasie, gdy jego starsze rodzeństwo zatrzymywało rozpędzony barakowóz, wędrowało wzdłuż Padłego Potoku i walczyło z komarami śnieżnymi, proponuję, abyście przeczytali inną historię, opisującą tę samą, mniej więcej, sytuację. Bohaterką tej historii jest niejaki Kopciuszek. Kopciuszek był młodą panienką, oddaną pod opiekę złych osób, które dręczyły ją i zmuszały do wykonywania ciężkich prac domowych. W końcu jednak pomogła Kopciuszkowi dobra wróżka: wyczarowała ona piękną suknię, w której Kopciuszek wystąpił na balu, tam poznał

przystojnego księcia, a wkrótce potem pobrali
się i żyli razem długo i szczęśliwie w królewskim
pałacu. Wystarczy zamienić imię „Kopciuszek"
na „Słoneczko Baudelaire", wyeliminować do-
brą wróżkę, czarodziejską suknię, przystojnego
księcia, ślub i długie, szczęśliwe życie w pałacu –
a otrzymacie jasny obraz sytuacji Słoneczka.

– Czy ta mała sierota mogłaby wreszcie przestać się mazać? To mnie denerwuje – powiedział
Olaf, srożąc zrośniętą brew, gdyż auto pokony-
wało właśnie kolejny ostry zakręt. – Nic tak nie
psuje miłej przejażdżki jak marudna ofiara.

– Podszczypuję ją co chwila – zapewniła go
Esmeralda, i po raz kolejny uszczypnęła Słoneczko wymanikiurowanymi pazurami. – Ale
i tak nie chce się zamknąć.

– Słuchaj no, zębolu! – warknął Olaf, odwra-
cając się na chwilę od kierownicy, żeby zgromić
Słoneczko wzrokiem. – Albo zaraz przestaniesz
ryczeć, albo dam ci prawdziwy powód do płaczu.

Słoneczko chlipnęło gniewnie po raz ostatni
i otarło oczka małymi piąstkami. To prawda, że

przepłakało prawie cały dzień długiej jazdy, której przebiegu nie byłby w stanie odtworzyć nawet najsumienniejszy badacz, i że nadal, choć słońce chyliło się ku zachodowi, nie mogło powstrzymać gorzkich łez. Ale słowa Hrabiego Olafa bardziej rozzłościły Słoneczko, niż je przestraszyły.

Gdy ktoś grozi nam, że jeśli natychmiast nie przestaniemy płakać, dostaniemy prawdziwy powód do płaczu, jest to zawsze okropnie denerwujące, bo przecież skoro płaczemy, to znaczy, że już mamy jakiś powód i żadnych nowych nie potrzebujemy, serdeczne dzięki. Słoneczko Baudelaire uważało, że ma jak najbardziej wystarczające powody do płaczu. Martwiło się o brata i siostrę, a głównie o to, jak zdołają zatrzymać barakowóz, żeby się nie zabić. Słoneczko bało się też o siebie, odkąd Olaf zdemaskował jego przebranie, zabrał mu sztuczną brodę i uwięził je na kolanach Esmeraldy. A poza tym było już całkiem obolałe od ciągłego podszczypywania przez narzeczoną łotra.

– Nie scypaj – poprosiło Esmeraldę, lecz ta podła i modna kobieta skrzywiła się tylko, jakby usłyszała kompletną bzdurę.

– Ten dzieciak albo ryczy – powiedziała – albo gaworzy bez sensu w obcym języku. Nie rozumiem ani słowa z tego, co bredzi.

– Z porwanych dzieciaków nigdy nie ma wielkiej frajdy – odezwał się hakoręki, którego Słoneczko nie lubiło chyba najbardziej z całej trupy Olafa. – Pamiętasz, szefie, jak trzymaliśmy u siebie tych Bagiennych? Ciągle mieli jakieś pretensje. Narzekali, że każemy im siedzieć w klatce. Narzekali, jak zamknęliśmy ich w fontannie. Wszystko im było źle – miałem ich już tak dosyć, że jak uciekli, to, słowo daję, odetchnąłem z ulgą.

– Odetchnąłeś z ulgą? – skrzywił się szpetnie Hrabia Olaf. – Tyleśmy się nastarali, żeby zgarnąć fortunę Bagiennych, a nie zdobyliśmy nawet jednego szafiru. Totalna strata czasu.

– To nie twoja wina, Olafie – wtrąciła się z tylnego siedzenia jedna z bladolicych. – Wszyscy popełniamy błędy.

– Nie tym razem – odparł stanowczo Olaf. –
Odkąd dwie starsze sieroty rozmazały się na
dnie przepaści, a najmniejsza wylądowała na kolanach Esmeraldy, fortuna Baudelaire'ów należy
do mnie. Trzeba jeszcze tylko dotrzeć pod Wielki Zawiany Szczyt, znaleźć kwaterę główną –
i po kłopocie.

– Jak to? – zaciekawił się Hugo, garbus za-
trudniony do niedawna w wesołym miasteczku.

– Właśnie, proszę wyjaśnić – powiedział Kevin, także były pracownik Karnawału Kaligariego. W wesołym miasteczku Kevin wstydził się
swojej oburęczności, lecz Esmeralda zwabiła go
do trupy Olafa, przywiązując mu prawą dłoń
z tyłu do pleców, żeby nikt nie poznał, że Kevin
posługuje się równie sprawnie obiema rękami. –
Niech szef nie zapomina, że jesteśmy nowymi
członkami trupy i nie we wszystkim dobrze się
orientujemy.

– Pamiętam, że gdy ja wstąpiłam do trupy
Olafa – wtrąciła druga bladolica – nie wiedziałam nawet, co to są akta Snicketa.

– Praca u mnie to nieustanna nauka przez doświadczenie – oświadczył Olaf. – Nie możecie wymagać, żebym wszystko wam wyjaśniał. Jestem człowiekiem bardzo zajętym.

– Ja chętnie wyjaśnię, szefie – zgłosił się hakoręki. – Hrabia Olaf, jak każdy szanujący się biznesmen, dopuścił się wielu rozmaitych przestępstw.

– A ci głupi wolontariusze zebrali przeciwko niemu materiał dowodowy – dodała Esmeralda. – Próbowałam im wyjaśnić, że obecnie przestępstwa są jak najbardziej w modzie, ale w ogóle nie chcieli mnie słuchać.

Słoneczko otarło z oczka jeszcze jedną łzę i westchnęło. Z dwojga złego wolało już chyba szczypanie Esmeraldy niż wysłuchiwanie jej bzdur na temat tego, co jest w modzie – czyli, w pojęciu pani Szpetnej, zasługuje na naśladowanie – a co nie.

– Musimy zniszczyć te akta, bo inaczej Hrabiemu Olafowi grozi aresztowanie – podsumował hakoręki. – A mamy powody przypuszczać, że przynajmniej część akt znajduje się w kwaterze głównej WZS.

– Co oznacza skrót WZS? – dobiegł spod siedzenia głos Colette, której Hrabia Olaf kazał wykorzystać zdolności ekwilibrystyczne i zwinąć się na podłodze automobilu, pod nogami pozostałych członków trupy.

– To jest informacja ściśle tajna! – odburknął Olaf ku wielkiemu rozczarowaniu Słoneczka. – Sam należałem kiedyś do tej organizacji, ale stwierdziłem, że o wiele zabawniej jest działać na własną rękę.

– To znaczy? – spytał hakoręki.

– To znaczy uprawiać działalność przestępczą – wyjaśniła Esmeralda. – Działalność przestępcza jest dziś bardzo w modzie.

– Zła defi – chlipnęło przez łzy Słoneczko, nie mogąc powstrzymać się od komentarza. Przez „zła defi" Słoneczko komunikowało coś w sensie: „Działać na własną rękę to znaczy pracować samodzielnie, a nie w grupie, i nie ma to nic wspólnego z uprawianiem działalności przestępczej". Słoneczku zrobiło się smutno, że nikt z obecnych go nie rozumie.

– Znowu coś tam bredzi po swojemu – zirytowała się Esmeralda. – Właśnie dlatego nie chcę nigdy mieć dzieci. Chyba że jako służbę, oczywiście.

– Podróż przebiega łatwiej, niż przypuszczałem – powiedział Olaf. – Z mapy wynika, że musimy minąć jeszcze tylko parę jaskiń.

– Czy w pobliżu kwatery głównej jest jakiś hotel? – spytała Esmeralda.

– Obawiam się, że nie, najdroższa – odparł łotr. – Ale mam w bagażniku dwa namioty. Rozbijemy obóz na Górze Cug, najwyższym szczycie masywu Gór Grozy.

– Na szczycie? I to najwyższym? Tam będzie strasznie zimno! – zaprotestowała Esmeralda.

– To prawda – przyznał Olaf – ale nadchodzi Fałszywa Wiosna i niedługo trochę się ociepli.

– No dobrze, a dzisiaj w nocy? – nie ustępowała Esmeralda Szpetna. – Uprzedzam, że ja nie mam zamiaru rozbijać namiotów na trzaskającym mrozie.

Hrabia Olaf spojrzał na narzeczoną i zaczął się śmiać, a nieprzyjemny odór z ust, który towarzyszył jego złośliwym chichotom, doleciał aż do Słoneczka.

– Nie bądź niemądra, Esmeraldo. Jasne, że nie ty będziesz rozbijać namioty. Ty posiedzisz sobie wygodnie w cieplutkim samochodzie, a obóz rozbije dla nas ten zębaty pętak.

Na to cała trupa Olafa zarechotała chórem, wypełniając samochód zbiorowym fetorem wielu niemytych zębów. Słoneczku znów parę łez stoczyło się po policzku, więc odwróciło się do okna, żeby nikt tego nie widział. Chociaż okna automobilu były okropnie brudne, Słoneczku udało się dostrzec dziwne, kanciaste szczyty Gór Grozy i bure wody Padłego Potoku. Wjechali już na taką wysokość, że potok był prawie całkiem zamarznięty. Patrząc na czarną wstęgę skutej lodem wody, najmłodsza z Baudelaire'ów pomyślała o siostrze i bracie: gdzie teraz są i czy spieszą jej na pomoc? Przypomniało się Słoneczku, jak poprzednio wpadło w łapy Hrabiego Olafa, który zamknął je w klatce i wywiesił za okno na wysokiej wieży, aby zrealizować pewien niecny plan. Było to dla Słoneczka tak straszne przeżycie, że wciąż prześladowały je koszmarne sny o skrzypiącej klatce i maleńkich postaciach brata i siostry, spoglądających w górę z podwórka domu Hrabiego Olafa. Wtedy jednak Wioletka zmajstrowała czekan z liną i w ten sposób uratowała Słoneczko, a Klaus dokonał ważnych ustaleń prawnych i obalił intrygę Olafa. Im dalej automobil uwoził maleństwo od brata i siostry, im dłużej wpatrywało się ono w wymarły, skalny krajobraz – tym większej nabierało pewności, że i tym razem Wioletka z Klausem na pewno je uratują.

– Jak długo zatrzymamy się na Górze Cug? – spytał Hugo.

– Aż powiem, że ruszamy dalej, to chyba jasne – burknął Olaf.

– Sami się niedługo przekonacie, że nasza robota polega w znacznej mierze na czekaniu – rzekł hakoręki. – Ja na ogół staram się mieć przy sobie coś dla zabicia czasu, na przykład talię kart albo spory kamień.

– Bywa nudno, to fakt – przyznała jedna z bladolicych. – I niebezpiecznie. Kilkoro z naszych towarzyszy spotkał ostatnio straszny los.

– Gra była warta świeczki – zbagatelizował uwagę Hrabia Olaf, co tu oznacza: „z tonu jego głosu wynikało, iż wcale nie żal mu tragicznie zmarłych współpracowników". – Czasami trzeba, aby parę osób zginęło w ogniu albo w paszczach lwów, jeżeli mamy na celu większe dobro.

– A cóż to za większe dobro? – spytała Colette.

– Forsa! – krzyknęła z chciwym entuzjazmem Esmeralda. – Forsa i osobista satysfakcja! Jedno i drugie osiągniemy dzięki temu małemu mazgajowi, którego wiozę na kolanach! A gdy już zagarniemy fortunę Baudelaire'ów, będziemy mogli żyć w luksusie i planować dalsze zdradzieckie intrygi!

Cała trupa zawołała „Hura!", a Hrabia Olaf wyszczerzył się popsutymi zębami do Słoneczka, ale już nic nie powiedział. Automobil gnał w górę stromym, wyboistym stokiem, aż w końcu zahamował z piskiem opon – dokładnie w chwili, gdy ostatnie promienie słońca znikały na wieczornym niebie.

– No, nareszcie! Jesteśmy na miejscu – obwieścił Hrabia Olaf, wręczając Słoneczku kluczyki do samochodu. – Jazda, wysiadaj, ty sierotko. Wyładujesz wszystko z bagażnika i rozbijesz namioty.

– Ale najpierw przynieś nam czipsy ziemniaczane – zażądała Esmeralda. – Żebyśmy mieli co jeść, skoro mamy czekać.

Esmeralda uchyliła drzwi auta, posadziła Słoneczko na zamarzniętej ziemi i pospiesznie zatrzasnęła drzwi z powrotem. Mroźne górskie powietrze natychmiast owiało maleństwo ze wszystkich stron. Słoneczko zatrzęsło się jak listek. Na najwyższym szczycie Gór Grozy panował tak dokuczliwy ziąb, że łzy na buzi najmłodszej z Baudelaire'ów zamarzły w cienką lodową maskę. Słoneczko wstało i niezbyt pewnym krokiem ruszyło do tylnej części samochodu. Kusiło je, żeby pójść jeszcze dalej, uciec od Olafa i jego trupy. Ale dokąd? Rozejrzało się dokoła i nie ujrzało żadnego miejsca, które zapewniłoby samotnemu niemowlęciu bezpieczne schronienie.

Szczyt Góry Cug był niewielkim, kwadratowym płaskowyżem. Drepcząc do bagażnika, Słoneczko zerkało w dół za każdą krawędź i wszędzie widziało głęboką przepaść, przyprawiającą o zawrót głowy. Z trzech krawędzi widać było kanciaste, zamglone szczyty sąsiednich gór, w większości pokryte śniegiem. Między nimi wiły się dziwne, czarne wody Padłego Potoku i kamienista ścieżka, którą automobil wjechał na Górę Cug. Lecz z czwartej strony kwadratowego szczytu ujrzało Słoneczko coś tak osobliwego, że przez dłuższą chwilę nie umiało rozpoznać, co to jest.

Z najwyższego szczytu Gór Grozy ciągnął się w dół połyskliwy, biały pas – jak gigantyczna, rozwinięta wstęga lśniącego papieru albo skrzydło olbrzymiego ptaka. Obserwując ostatnie promienie zachodzącego słońca, odbijające się w tej wielkiej połaci bieli, Słoneczko z wolna uświadomiło sobie, że ma przed sobą początek nurtu Padłego Potoku. Jak wiele potoków, i ten wypływał spośród wysokich skał i widać było, że w cieplejszych porach roku tryska w dół z najwyższego szczytu potężnym wodospadem. Ponieważ jednak nie panowała akurat ciepła pora roku, więc tak jak łzy zamarzły na buzi Słoneczka, tak i wodospad zastygł w gruby, wyciągnięty jęzor lodu, którego koniec ginął w mroku gdzieś na dole. Widok był tak niesamowity, że Słoneczko przez chwilę nie mogło zrozumieć, dlaczego lód jest biały, a nie czarny, jak cała woda Padłego Potoku.

Biip! Głośny klakson automobilu Hrabiego Olafa przypomniał Słoneczku, czym powinno się zająć, więc pospiesznie otworzyło bagażnik i wygrzebało z niego paczkę czipsów ziemniaczanych, którą zaniosło pasażerom.

– Strasznie długo to trwało, sieroto! – warknął Olaf, zamiast powiedzieć dziękuję. – Teraz bierz się do rozbijania namiotów, jeden dla mnie i Esmeraldy, a drugi dla reszty, żebyśmy wreszcie mogli się trochę przespać.

– A dzieciak gdzie będzie spał? – spytał hakoręki. – Nie życzę go sobie w swoim namiocie.
Słyszałem, że niemowlęta w nocy napadają śpiących i duszą ich.

– Ze mną też na pewno nie będzie spać –
oświadczyła Esmeralda. – Spanie z dziećmi
w jednym namiocie nie jest teraz w modzie.

– Więc nie będzie spać w żadnym namiocie –
zdecydował Hrabia Olaf. – Mamy w bagażniku
duże naczynie żaroodporne z pokrywą. Niech
w nim śpi.

– Ale czy to bezpieczne, żeby dzieciak spał
w naczyniu żaroodpornym? – zaniepokoiła się
Esmeralda. – Pamiętaj, kochany Olafie, że jeśli
się udusi, cała fortuna przejdzie nam koło nosa.

– W pokrywie jest parę dziurek, będzie miała
czym oddychać – uspokoił narzeczoną Olaf. –
I na pewno nie dostaną się tam komary śnieżne.

– Komary śnieżne? – powtórzył Hugo.

– Komary śnieżne to świetnie zorganizowane,
złośliwe insekty – wyjaśnił Hrabia Olaf. – Zamieszkują zimne rejony górskie i z upodoba-

niem żądlą ludzi bez żadnego powodu. Zawsze miałem do nich słabość.

– Nieza – powiedziało Słoneczko, komunikując: „Nie zauważyłam podobnych owadów w okolicy". Nikt jednak nie zwrócił na to uwagi.

– A nie ucieknie, jak nikt jej nie będzie pilnował? – spytał podejrzliwie Kevin.

– Nie starczy jej odwagi – odparł Hrabia Olaf. – A nawet gdyby spróbowała wypuścić się samopas w góry, zaraz poznamy, dokąd poszła. Po to właśnie zatrzymaliśmy się na szczycie. Gdyby pętak próbował zwiać albo gdyby ktoś chciał tu do nas podejść, zauważymy to natychmiast, bo stąd widać wszystko i wszystkich na wiele mil.

– Eureka – wymsknęło się Słoneczku, zanim zdążyło ugryźć się w język. Zakomunikowało w ten sposób coś w sensie: „Właśnie olśniła mnie rewelacyjna myśl". A wcale nie miało zamiaru powiedzieć tego głośno.

– Przestań paplać bez sensu i bierz się do roboty, zębaty pętaku! – rozkazała Esmeralda Szpetna i zatrzasnęła przed Słoneczkiem drzwi samochodu. Drepcząc z powrotem do bagażnika, aby wydostać z niego namioty, Słoneczko słyszało z wnętrza wozu chóralne śmiechy trupy i chrupanie czipsów ziemniaczanych.

To zwykle dość niewdzięczne zadanie tak połączyć płachtę i paliki namiotu, żeby konstrukcja stała prosto i solidnie – dlatego osobiście zawsze wolę nocować w hotelu albo w wynajętym zamku, gdzie w dodatku zapewnione mam solidne ściany i obsługę. Słoneczko, oczywiście, było w gorszej sytuacji, gdyż musiało całą operację wykonać samo, i to po ciemku, nie umiejąc jeszcze zbyt dobrze chodzić i martwiąc się o rodzeństwo. Miało już jednak pewne doświadczenie w wypełnianiu herkulesowych zadań – co tu oznacza: „radzeniu sobie w sytuacjach niewiarygodnie trudnych”. Sami zapewne wiecie, że gdy przychodzi nam zrobić coś szczególnie trudnego, bardzo pomaga podtrzymywanie się na duchu jakąś krzepiącą myślą. Na przykład tocząc pojedynek na zęby i miecze w Tartaku Szczęsna Woń, Słoneczko cały czas myślało o tym, jak kocha brata i siostrę, i myśl ta bardzo mu pomogła pokonać Doktor Orwell. A gdy wspinało się na zębach szybem windy w gmachu przy Alei Ciemnej 667, myślało intensywnie o swoich przyjaciołach Bagiennych i o tym, jak szczerze pragnie ich uratować – dzięki czemu sprawnie dotarło do apartamentu na najwyższym piętrze. Tak też i teraz: wygrzebując zębami dziury w zmarzniętej ziemi, żeby ustawić prosto paliki namiotu, Słoneczko pomagało sobie krzepiącą myślą – a myśl tę poddał mu, o dziwo, Hrabia Olaf, kiedy oznajmił, że ze szczytu, na którym się znajdują, widać wszystko i wszystkich na wiele mil dokoła. Ustawiając namioty i popatrując co chwila w dół na śliski jęzor zamarzniętego wodospadu, Słoneczko postanowiło nie próbować ucieczki od Olafa i jego trupy. Postanowiło w ogóle nigdzie się nie oddalać. Bo skoro z Góry Cug widać było wszystko i wszystkich na wiele mil dokoła, to także wszyscy w promieniu mil – wliczając Wioletkę i Klausa Baudelaire'ów – mieli szansę zobaczyć Słoneczko na szczycie.

Czwarty

Ta noc okazała się czarnym dniem. Naturalnie, każda noc jest czarnym dniem, będąc po prostu marnie oświetloną wersją dnia jasnego – a to z tej racji, że Ziemia krąży nieustannie wokół Słońca, przypominając wszystkim ludziom po kolei, kiedy powinni pójść spać, a kiedy powitać nowy ranek filiżanką kawy lub nadaniem tajnej wiadomości na kartce poskładanej w papierowy samolocik

i wysłanej przez zakratowane okienko aresztu. Jednak w tym przypadku określenie „czarny dzień" oznacza „smutny czas w historii sierot Baudelaire, WZS oraz wszystkich dobrych, dzielnych i oczytanych ludzi na świecie". Wioletka i Klaus Baudelaire nie mieli, rzecz jasna, pojęcia o tragedii, jaka rozegrała się wysoko nad nimi, w dolinie pod Wielkim Zawianym Szczytem. Na razie wiedzieli jedynie, że przemówił do nich głos, którego mieli nadzieję już nigdy w życiu nie usłyszeć.

– Jazda stąd, zakalce! Ta jaskinia to teren prywatny!

– Z kim rozmawiasz, Karmelito? – spytał inny głos, znacznie donośniejszy i grubszy, jakby należał do dorosłego osobnika płci męskiej.

– Widzę przy wejściu dwie sylwetki, Wujku Bruce – odparł pierwszy głos. – I wydaje mi się, że to zakalce.

Z czeluści groty poniósł się echem złośliwy chichot. Wioletka z Klausem spojrzeli po sobie z trwożną rezygnacją. Głos należał do Karmelity

Plujko, niemiłej pannicy, którą Baudelaire'owie poznali w Szkole Powszechnej imienia Prufrocka. Karmelita od pierwszej chwili zapałała niechęcią do sierot Baudelaire: przezywała je i ogólnie zatruwała im życie w szkole. Kto sam był kiedyś uczniem, ten wie, że w każdej szkole znajdzie się przynajmniej jedna taka osoba, której po ukończeniu edukacji nie chciałoby się już nigdy w życiu spotkać. Wioletka z Klausem i bez takiego spotkania mieli dość kłopotów w Górach Grozy, więc na dźwięk głosu Karmelity omal nie wycofali się z jaskini, gotowi raczej ponownie stawić czoło chmarze komarów śnieżnych.

– Dwie sylwetki? Proszę się przedstawić – zażądał drugi głos.

– Jesteśmy wędrowcami – zawołała od wejścia Wioletka. – Zgubiliśmy drogę i napadł nas rój komarów śnieżnych. Proszę pozwolić nam tu chwilę odpocząć. Gdy tylko zapach dymu odegna komary, ruszymy dalej.

– Wykluczone! – odkrzyknęła Karmelita, tonem jeszcze złośliwszym niż dawniej. – To jest miejsce biwaku Skautów Śnieżnych, którzy idą świętować nadejście Fałszywej Wiosny, aby obwołać mnie królową. Nie zgadzamy się, żeby jakieś zakalce popsuły nam zabawę.

– Hola, hola, Karmelito! – upomniał ją dorosły męski głos. – Nie zapominaj, że obowiązkiem Skauta Śnieżnego jest gościnność. To jeden z punktów Alfabetycznej Przysięgi Skautów Śnieżnych. A prawdziwą gościnność okażemy, przyjmując tych przybyszów pod dach naszej jaskini.

– Nie mam zamiaru być gościnna – oświadczyła Karmelita. – Jestem Królową Fałszywej Wiosny i mogę robić, co chcę.

– Jeszcze nie zostałaś Królową Fałszywej Wiosny, Karmelito – odezwał się łagodny chłopięcy głos. – Najpierw musimy odbyć taniec wokół Wiosennego Pala. Wejdźcie, wędrowcy, i zasiądźcie przy naszym ognisku. Ugościmy was z radością.

– Brawo, mój mały, oto właściwa postawa! – pochwalił dorosły męski głos. – A teraz, Skauci

Śnieżni, wyrecytujmy wspólnie Alfabetyczną Przysięgę Skautów Śnieżnych.

Grota rozbrzmiała echem licznych głosów, złączonych w zgodne unisono, co tu oznacza: „recytujących jednocześnie listę bardzo dziwnych słów".

– „Skauci Śnieżni – recytowali Skauci Śnieżni – są aktywni, brawurowi, cierpliwi, dzielni, emblematyczni, fantazyjni, gościnni, humanoidalni, inteligentni, jowialni, karni, limitowani, ładni, młodzi, niewybredni, oficjalni, potulni, roztropni, skoszarowani, taktowni, uczesani, wielofunkcyjni, yeti, zapięci i żwawi – rano, wieczorem, w nocy, i przez cały dzień!".

Baudelaire'owie wymienili skonfundowane spojrzenia. Alfabetyczna Przysięga Skautów Śnieżnych, jak większość uroczystych ślubowań, nie miała za wiele sensu. Klaus z Wioletką zachodzili w głowę, jak to możliwe, aby Skaut Śnieżny, który jest „karny" i „potulny", był zarazem „brawurowy" i „fantazyjny", albo jak – skoro organizacja zrzesza samych młodych ludzi –

Skaut Śnieżny mógłby nie być „humanoidalny"
i „młody", choćby nawet chciał. Zastanowiło ich
również, czemu po słowach „rano, wieczorem,
w nocy" następuje jeszcze zwrot: „i przez cały
dzień". A przede wszystkim nie rozumieli, co robi w tekście ślubowania słowo „yeti".

Nie mieli jednak zbyt wiele czasu na wnikli-
we dociekanie, bo po wygłoszeniu przysięgi
wszyscy Skauci Śnieżni nabrali głęboko powie-
trza i wydali z siebie przeciągły świst, imitujący odgłos wichru, który dął na zewnątrz jaskini
– a to wydało się Baudelaire'om jeszcze dziw-
niejsze.

– Najbardziej lubię zakończenie – odezwał się
dorosły męski głos, kiedy świst ustał. – Zakończenie Alfabetycznej Przysięgi Skautów Śnieżnych odgłosem zadymki to fantastyczny pomysł.
A teraz zbliżcie się, wędrowcy, abyśmy mogli
wam się przyjrzeć.

– Nie wystawiajmy głów spod płaszcza – szepnął Klaus do siosrty. – Żeby Karmelita przypadkiem nas nie rozpoznała.

– Reszta skautów też pewnie widziała nasze zdjęcia w „Dzienniku Punctilio" – dodała Wioletka, chowając głowę pod chroniący ich oboje zapasowy płaszcz. Gazeta „Dziennik Punctilio" w swoim artykule oskarżyła Baudelaire'ów o zamordowanie Jacques'a Snicketa. Oskarżenie było od początku do końca wyssane z palca, ale chyba wszyscy w nie uwierzyli, bo ścigali teraz Baudelaire'ów, aby wtrącić ich do więzienia. Idąc w głąb groty za głosem Skautów Śnieżnych, Klaus i Wioletka zauważyli jednak, że, na szczęście, nie oni jedni zasłaniają twarze.

Jaskinia kończyła się wielką, kolistą komnatą o niezwykle wysokim stropie i kostropatych skalnych ścianach, mieniących się w pomarańczowym blasku płomieni. Przy ognisku siedziało kołem piętnaście do dwudziestu osób i wszystkie patrzyły na Baudelaire'ów. Przez przetartą tkaninę płaszcza dzieci zauważyły, że jedna z postaci jest wyraźnie wyższa od reszty – to musiał być Bruce. Ubrany był w wyjątkowo niegustowną kraciastą marynarkę, a w ręku trzymał grube cygaro. Naprzeciwko niego, po drugiej stronie ogniska, siedział ktoś w grubym swetrze z kilkoma dużymi kieszeniami. Natomiast reszta Skautów Śnieżnych miała na sobie olśniewająco białe kombinezony, zapięte z przodu na wielkie zamki błyskawiczne i ozdobione wzdłuż watowanych rękawów emblematami płatków śnieżnych różnych kształtów i rozmiarów. Na plecach kombinezonów nadrukowany był wielkimi, różowymi literami tekst Alfabetycznej Przysięgi Skautów Śnieżnych. Na głowach zaś nosili skauci białe przepaski z plastikowymi śnieżynkami, sterczącymi na wszystkie strony, i drapieżnym, jakby ułożonym z lodowych sopli, napisem „Brr!". Ale Baudelaire'ów zaintrygowały nie wianuszki roztańczonych śnieżynek na głowach skautów i nie aktywne, brawurowe, cierpliwe, dzielne, emblematyczne, fantazyjne, gościnne, humanoidalne, inteligentne, jowialne, karne, limitowane, ładne, młode, niewybredne, oficjalne, potulne, roztropne, skoszarowane, taktowne, uczesane, wielofunkcyjne, yeti, zapięte i żwawe uniformy, w które wystrojona była prawie cała grupa. Zaintrygowały ich ciemne, okrągłe maski, zasłaniające twarze Skautów Śnieżnych. Były one drobno dziurkowane i przypominały maski szermiercze, czyli stosowane w sporcie, w którym walczy się raczej dla zabawy niż o honor lub o uwolnienie pisarza, przykutego do ściany. Jednak Baudelaire'owie w migotliwym blasku ogniska nie dostrzegli, że maski są ażurowe – wydało im się, że Bruce i Skauci Śnieżni w ogóle nie mają twarzy, tylko czarne dziury powyżej szyi.

– Wyglądacie idiotycznie, jak tak zasłaniacie twarze, zakalce – odezwał się ktoś z grona skautów, i Baudelaire'owie natychmiast poznali, która z zamaskowanych postaci jest Karmelitą Plujko.

– Jesteśmy potulni – odparła z błyskawicznym refleksem Wioletka. – Szczerze mówiąc, jesteśmy tak potulni, że prawie nigdy nie odsłaniamy twarzy.

– Wobec tego pasujecie do nas jak ulał – rzekł zza maski Bruce. – Ja jestem Bruce, możecie mi mówić Wujku Bruce, chociaż z całą pewnością nie jestem waszym wujem. Witajcie w gronie Skautów Śnieżnych, gdzie wszyscy są potulni. Co więcej, wszyscy jesteśmy aktywni, brawurowi, cierpliwi...

Reszta skautów podchwyciła chórem tekst przysięgi, więc dwoje starszych Baudelaire'ów musiało ponownie wysłuchać na baczność bzdurnej litanii. Tymczasem skaut w grubym swetrze wstał ze swego miejsca i podszedł do nich niepostrzeżenie.

– Mamy tu parę zapasowych masek – mruknął cicho, wskazując stertę ekwipunku, piętrzącą się przy bardzo wysokim drewnianym palu. – Osłonią was przed komarami śnieżnymi, gdy znów stąd wyjdziecie. Weźcie sobie po jednej.

– Dzięki – odszepnęła Wioletka. Skauci akurat ślubowali chórem, że będą niewybredni, oficjalni i potulni. Wioletka z Klausem złapali maski i ukryli je pod osłoną płaszcza, aby z chwilą, gdy Skauci Śnieżni zobowiążą się uroczyście, że będą yeti, zapięci i żwawi, odsłonić głowy bez twarzy, upodabniając się do reszty towarzystwa.

– To było świetne, dzieciaki! – pochwalił Bruce, gdy ucichł kończący przysięgę świst zadymki. – Nie chcielibyście wstąpić do organizacji Skautów Śnieżnych? – zwrócił się do Baudelaire'ów. – Jesteśmy organizacją młodzieżową, która bawi i kształci nowe umiejętności. Obecnie odbywamy Wspinaczkę Skautów Śnieżnych. Zamierzamy wspiąć się na Górę Cug i tam urządzić obchody Fałszywej Wiosny.

– Co to jest Fałszywa Wiosna? – spytała Wioletka, siadając przy ognisku między bratem a skautem w swetrze.

– Tylko zakalec może nie wiedzieć, co to jest Fałszywa Wiosna! – parsknęła pogardliwie Karmelita Plujko. – Jest to gwałtowne chwilowe ocieplenie przed nadejściem ponownej fali mrozów. Świętujemy je specjalnym tańcem z figurami wokół Wiosennego Pala. – Tu wskazała drewniany pal, a przy okazji Baudelaire'owie zauważyli, że wszyscy Skauci Śnieżni noszą olśniewająco białe rękawice z jednym palcem, oznaczone literą S. – Po tańcu wybieramy najlepszą Skautkę Śnieżną i koronujemy ją na Królową Fałszywej Wiosny. Tym razem wybiorą mnie. Zresztą, zawsze wybierają mnie.

– To dlatego, że Wujek Bruce jest twoim prawdziwym wujkiem – powiedział któryś ze Skautów Śnieżnych.

– Wcale nie dlatego – zaprotestowała Karmelita. – Wygrywam, bo jestem najbardziej aktywna, brawurowa, cierpliwa, dzielna, emblematyczna, fantazyjna, gościnna, humanoidalna, inteligentna, jowialna, karna, limitowana, ładna, młoda, niewybredna, oficjalna, potulna, roztropna, skoszarowana, taktowna, uczesana, wielofunkcyjna, yeti, zapięta i żwawa.

– Jak można być yeti? – nie wytrzymał Klaus. – Przecież „yeti" to nawet nie jest przymiotnik.

– Wujek Bruce nie wymyślił żadnego innego słowa na literę Y – wyjaśnił Skaut Śnieżny w grubym swetrze tonem sugerującym, że wcale nie uważa tego za wystarczające usprawiedliwienie.

– A „ypsilonowaty"? – zasugerował Klaus. – Greckie „ypsilon", czyli „igrek", to litera...

– Nie wolno zmieniać tekstu Alfabetycznej
Przysięgi Skautów Śnieżnych – przerwał mu
Bruce, unosząc cygaro, jakby zamierzał zaciąg-
nąć się nim przez maskę. – Istota Skautingu
Śnieżnego polega na tym, że wszystko zawsze ro-
bi się dokładnie tak samo. Zawsze tak samo ob-
chodzimy święto Fałszywej Wiosny na Górze
Cug, u źródeł Padłego Potoku. Zawsze Królową
Fałszywej Wiosny zostaje moja siostrzenica,
Karmelita Plujko. I zawsze zatrzymujemy się po
drodze w tej jaskini na Wieczór Opowieści Skau-
tów Śnieżnych.

– Czytałem, że w jaskiniach Gór Grozy zapadają w sen zimowy różne zwierzęta – zauważył
Klaus. – Czy na pewno bezpiecznie jest tu biwa-
kować?

Skaut Śnieżny w grubym swetrze odwrócił się
pospiesznie do Baudelaire'ów, jakby chciał coś
na to odpowiedzieć, ale Bruce był szybszy:

– Nic nam już nie grozi, mój mały – rzekł. –
Podobno przed laty w tych górach żyło zatrzę-
sienie niedźwiedzi. Były tak inteligentne, że

wyszkolono je na żołnierzy. Ale zniknęły i nikt nie wie dlaczego.

– To nie były niedźwiedzie – szepnął skaut w swetrze tak cicho, że Baudelaire'owie musieli nachylić się, żeby go usłyszeć. – W tych jaskiniach mieszkały lwy. I nie były one żołnierzami, lecz detektywami. Należały do Wolontariatu Zwierząt Szpiegowskich. – To mówiąc, zwrócił się zakrytą twarzą do Klausa i Wioletki, którzy poczuli, że skaut patrzy na nich znacząco przez otworki maski. – Wolontariat Zwierząt Szpiegowskich – powtórzył z naciskiem, a Baudelaire'owie z wrażenia wstrzymali oddech.

– Powiedziałeś... – zaczęła Wioletka, ale Skaut Śnieżny pokręcił głową na znak, że niebezpiecznie jest rozmawiać. Wioletka spojrzała na brata, a potem znów na skauta, i pożałowała, że nie widzi ich twarzy skrytych pod maskami. Pierwsze litery nazwy Wolontariat Zwierząt Szpiegowskich tworzyły, rzecz jasna, inicjały WZS – skrót nazwy organizacji, której dzieci poszukiwały. Czyżby i tym razem, jak już wielokrotnie, był to czysty zbieg okoliczności? Czy też tajemniczy skaut dawał w ten sposób Baudelaire'om jakiś sygnał?

– Nie wiem, co wy tam sobie szepczecie – powiedział Bruce – ale przestańcie natychmiast. To nie pora na rozmowy towarzyskie. Rozpoczynamy Wieczór Opowieści Skautów Śnieżnych. Każdy skaut opowie nam teraz jakąś historię. A potem wszyscy będziemy się obżerać ciągutkami, aż zrobi nam się niedobrze i padniemy pokotem na stertę koców, tak jak co roku. Może pierwszą historię opowie nam któryś z nowych skautów?

– Ja pierwsza! – nadąsała się Karmelita. – W końcu jestem Królową Fałszywej Wiosny.

– Ale nasi goście z pewnością mają coś ciekawego do opowiedzenia – zaoponował skaut w swetrze. – Z chęcią posłuchałbym o jakiejś Wybitnie Zajmującej Sensacji.

Klaus zauważył, że jego siostra unosi ręce – i uśmiechnął się. Wioletka najwyraźniej chciała odruchowo związać włosy wstążką, żeby nie wpadały jej do oczu – tyle że w masce było to niemożliwe. Oboje gorączkowo próbowali wymyślić sposób porozumienia się z tajemniczym skautem i tak ich to myślenie pochłonęło, że z opóźnieniem usłyszeli obelżywe słowa Karmelity Plujko.

– Hej tam, zakalce, dosyć tego siedzenia. Jak macie coś gadać, to już.

– Przepraszamy za zwłokę – powiedziała Wioletka, jak najstaranniej dobierając słowa. – Nie zdarzyło nam się ostatnio Wiele Zabawnych Sytuacji, a to nie sprzyja powstawaniu dobrych historii.

– Nie wiedziałem, że to smutna okazja – powiedział skaut w swetrze.

– O, bardzo smutna – potwierdził Klaus. – Od rana nie mieliśmy nic w ustach, oprócz paru Wegetariańskich Zrazów Sojowych.

– Potem opadły nas komary śnieżne – dodała Wioletka. – I zachowywały się jak Wulgarne Zdziczałe Szerszenie.

– Uformowane w strzałę – wtrącił Klaus – przypominają raczej Wielce Zajadłego Smoka.

– A nie Wypasionego Zgryźliwego Satrapę? – spytał skaut w swetrze, skinieniem maski dając Baudelaire'om wyraźny znak, że odebrał ich komunikat.

– W życiu nie słyszałam równie nudnej historii – skrzywiła się Karmelita Plujko. – Wujku Bruce, powiedz im, że są głupimi zakalcami.

– To nie byłoby zgodne z zasadą gościnności – odparł Bruce. – Ale przyznać muszę, moi drodzy, że wasza historia jest dość nudna. Skauci Śnieżni w swoich opowiadaniach omijają nudne kawałki, zostawiając same ciekawe. W ten sposób opowieść staje się maksymalnie aktywna, brawurowa, cierpliwa, dzielna, emblematyczna, fantazyjna, gościnna, humanoidalna, inteligentna, jowialna, karna, limitowana, ładna, młoda, niewybredna, oficjalna, potulna, roztropna, skoszarowana, taktowna, uczesana, wielofunkcyjna, yeti, zapięta i żwawa.

– Ja pokażę tym zakalcom, jak się opowiada ciekawą historię – oświadczyła Karmelita. – Dawno, dawno temu obudziłam się, spojrzałam

w lustro i zobaczyłam w nim najładniejszą, naj-
inteligentniejszą, najsłodszą dziewczynkę na
świecie. Włożyłam prześliczną różową sukienkę,
żeby wyglądać jeszcze ładniej, i w podskokach
pobiegłam do szkoły, gdzie nauczycielka powiedziała mi, że tak uroczej dziewczynki jeszcze nigdy nie widziała, i w nagrodę dała mi lizaka...

W tym miejscu skradnę kartkę z cudzej książki – czyli „wykorzystam pomysł, który podsunął
mi ktoś inny". Gdyby, na przykład, ktoś powiedział wam, że aby spełnić obowiązek pisania
kartek z życzeniami, najlepiej jest za każdą na-
pisaną kartkę nagradzać się ciasteczkiem – moglibyście skraść kartkę z jego książki i przed
każdą świąteczną okazją starać się mieć pod ręką talerz herbatników. Gdyby koleżanka powiedziała wam, że najlepszym sposobem na wy-
mknięcie się chyłkiem z domu jest odczekać, aż
wszyscy zasną, moglibyście, kradnąc kartkę z jej
książki, dosypać całej rodzinie do poobiedniej
kawy środek usypiający – a potem już spokojnie
spuścić się po bluszczu z okna sypialni. A gdy-

byście, przeczytawszy tę przygnębiającą książkę, znaleźli się kiedyś sami w podobnej sytuacji, moglibyście skraść kartkę ze *Zjezdnego zbocza* i za pomocą mieszaniny lepkich substancji oraz spadochronu zatrzymać rozpędzony barakowóz, następnie zaopatrzyć się w zapasowe ciepłe stroje dla ochrony przed zimnem i, uciekając przed atakiem komarów śnieżnych, znaleźć jaskinię pełną Skautów Śnieżnych usadowionych wokół ogniska.

Ja jednak wypożyczę kartkę z książki Bruce'a – czyli skorzystam z jego uwagi, że kto chce opowiadać ciekawą historię, powinien opuszczać wszystkie nudne kawałki. Baudelaire'owie z całą pewnością chętnie zrezygnowaliby z wszystkich nudnych kawałków opowieści o sobie, gdyż pilno im było opuścić jaskinię i podjąć poszukiwanie siostrzyczki. Za wszelką cenę chcieli jednak wcześniej porozmawiać z tajemniczym chłopcem w grubym swetrze, a wiedzieli, że jest to niemożliwe w obecności Bruce'a i pozostałych Skautów Śnieżnych, więc siedzieli cierpliwie przy ognisku i słuchali opowieści Karmelity o tym, jaka jest ładna, inteligentna i słodka i jak wszyscy się nią zachwycają. Musieli jakoś ścierpieć wszystkie nudne kawałki własnej historii – ale wy, na szczęście, nie musicie, więc daruję wam nieciekawe szczegóły tasiemcowej opowieści Karmelity, kilkakrotną recytację przysięgi skautów śnieżnych na życzenie Bruce'a i opis posiłku złożonego z samych ciągutek, którymi skauci podzielili się z Klausem i Wioletką. Nie będę opisywał, jak irytująca była dla Baudelaire'ów konieczność odwracania się i błyskawicznego uchylania maski za każdym razem, gdy brali ciągutkę do ust – bo przecież nie chcieli zostać rozpoznani. Po długiej, wyczerpującej podróży woleliby bardziej treściwy posiłek i mniej skomplikowany sposób konsumpcji, ale i tego fragmentu swojej własnej historii nie mogli, oczywiście, pominąć. Czekali więc tylko, aż wieczór dobiegnie końca, Skautom Śnieżnym zrobi się niedobrze od nadmiaru słodyczy i położą się spać na stercie koców przy Wiosennym Palu. Nawet gdy Bruce kazał Skautom Śnieżnym po raz ostatni wyrecytować przysięgę alfabetyczną na dobranoc, Wioletka z Klausem nie odważyli się podejść i zagadać do skauta w swetrze, żeby przypadkiem ktoś ich nie podsłuchał. Z ciekawości i przejęcia i tak nie mogli spać, więc odczekali jeszcze parę godzin, aż ognisko zgasło, a jaskinia wypełniła się chóralnym echem chrapania Skautów Śnieżnych. Wypożyczę jednak kartkę z książki przywódcy Skautów Śnieżnych i przejdę od razu do następnego ciekawego epizodu, który wydarzył się bardzo późno w nocy – w porze, kiedy wydarza się mnóstwo ciekawych epizodów, ale większość ludzi je przegapia, gdyż śpią spokojnie albo siedzą schowani w składziku gospodarczym fabryki musztardy, przebrani za szufelkę do śmieci, żeby nie obudzić podejrzeń nocnej strażniczki.

Nastała bardzo późna noc – najciemniejsza, rzec można, pora owego ciemnego dnia – tak późna, że Baudelaire'owie zrezygnowali już prawie z czuwania, wyczerpani ostatnimi przeżyciami – ale właśnie w chwili, gdy oczy zaczynały im

się kleić, poczuli na ramionach czyjeś dotknię-
cie, więc zerwali się na równe nogi i spojrzeli
prosto w maskę skauta w grubym swetrze.

– Chodźcie ze mną, Baudelaire'owie – szepnął
chłopiec. – Znam drogę na skróty do kwatery
głównej.

I był to prawdziwie intrygujący epizod naszej
historii.

Kiedy chodzi nam po głowie wiele pytań i nagle mamy okazję je zadać, pytania zaczynają się tłoczyć i przepychać jak pasażerowie w pociągu przed dojazdem do uczęszczanej stacji. Korzystając z tego, że Bruce i Skauci Śnieżni zasnęli, Baudelaire'owie mogli wreszcie porozmawiać z tajemniczym skautem w swetrze, ale wszystko, o co chcieli go spytać, okropnie im się nagle poplątało.

– Skąd... – zaczęła Wioletka, lecz pytanie:
„Skąd wiedziałeś, że jesteśmy Baudelaire'ami?",
potknęło się o pytanie: „Kim jesteś?", wpadając
na dwa kolejne pytania: „Czy należysz do
WZS?" i „Co znaczy skrót WZS?".

– Czy... – zaczął Klaus, lecz pytanie: „Czy
wiesz, gdzie znajduje się nasza siostra?", potknęło się o pytanie: „Czy to prawda, że jedno z naszych rodziców żyje?", które z kolei już zmagało
się z pytaniami: „Jak dotrzeć do kwatery głównej?" oraz: „Czy moje siostry i ja znajdziemy
kiedykolwiek bezpieczne miejsce zamieszkania,
gdzie nie zagrażałby nam stale Hrabia Olaf ze
swoją trupą, knując intrygę za intrygą w celu zagarnięcia fortuny Baudelaire'ów?" – chociaż na
to ostatnie pytanie Klaus nie spodziewał się uzyskać odpowiedzi.

– Na pewno macie wiele pytań – szepnął
skaut w swetrze. – Ale tutaj nie możemy rozmawiać. Bruce ma lekki sen, a dość już złego narobił w WZS, żeby miał poznać jeszcze jeden nasz
sekret. Obiecuję wam, że na wszystkie pytania

uzyskacie odpowiedzi, ale najpierw musimy dotrzeć do kwatery głównej. Chodźcie za mną.

Skaut w swetrze bez dalszych słów odwrócił
się na pięcie i wtedy Baudelaire'owie spostrzegli, że nosi plecak z emblematem, który zapa-
miętali z Karnawału Kaligariego. W pierwszej
chwili emblemat przypominał oko, jednak przy
bliższych oględzinach dzieci odkryły wplecione
sprytnie w rysunek inicjały WZS.

Skaut ruszył przodem, a Klaus z Wioletką,
jak najciszej wymknąwszy się spod koców, po-
dążyli za nim. Zdziwiło ich, że nie kierują się
ku wyjściu z jaskini, tylko w głąb, gdzie niedawno jeszcze Skauci Śnieżni palili ognisko. Teraz z ogniska pozostała kupka popiołów, z których wciąż unosiło się ciepło i zapach dymu.
Skaut w swetrze sięgnął do kieszeni i wyciągnął
latarkę.

– Musiałem poczekać, aż ogień zgaśnie, żeby
coś wam pokazać – powiedział. Zerkając nerwowo na śpiących skautów, poświecił latarką w górę, nad ich głowami. – Spójrzcie tam.

Klaus z Wioletką spojrzeli, gdzie im kazał, i zobaczyli otwór w sklepieniu groty, dość szeroki, aby mogła się przez niego przecisnąć jedna osoba. Na razie jednak uciekały tamtędy ostatnie smugi dymu z ogniska.

– Komin – mruknął Klaus. – Ciekaw byłem właśnie, jak to się dzieje, że dym nie gromadzi się w jaskini.

– Oficjalnie nazywa się to Wertykalny Zbiornik Sadzy – wyjaśnił szeptem skaut w swetrze. – Służy jednocześnie za komin i tajne przejście, łączące tę jaskinię bezpośrednio z doliną pod Wielkim Zawianym Szczytem. Wspinając się nim, dotrzemy do kwatery głównej w ciągu paru godzin i oszczędzimy sobie żmudnego marszu górskim szlakiem. Przed laty środkiem komina schodził metalowy pal, po którym można było, w razie nagłej konieczności, zjechać błyskawicznie z kwatery do jaskini. Pala już nie ma, ale w ścianach komina powinny były pozostać wydrążenia, po których można wspiąć się na szczyt.

Skaut poświecił latarką w czeluść komina i istotnie, Baudelaire'owie ujrzeli dwa pionowe rzędy drobnych wcięć w skale – idealne punkty oparcia dla palców stóp i dłoni.

– Skąd ty to wszystko wiesz? – spytała Wioletka.

Skaut odwrócił się do niej bez słowa, ale Baudelaire'owie odnieśli wrażenie, że uśmiecha się pod maską.

– Wyczytałem – rzekł wreszcie – w książce pod tytułem *Osobliwe zjawiska Gór Grozy*.

– Tytuł brzmi znajomo – powiedział Klaus.

– Nic dziwnego. Wypożyczyłem tę książkę z biblioteki Wujcia Montgomery'ego.

Doktor Montgomery był jednym z pierwszych opiekunów sierot Baudelaire, więc na dźwięk jego nazwiska Wioletce i Klausowi nasunęło się wiele nowych pytań.

– Kiedy... – zaczęła Wioletka.

– Czemu.... – zaczął Klaus.

– Karm... – zaskoczył ich nagle trzeci głos: głos Bruce'a, który przez sen musiał usłyszeć ich rozmowę. Baudelaire'owie i skaut w swetrze zamarli na moment, ale Bruce obrócił się tylko z boku na bok, naciągnął koc i z przeciągłym westchnieniem zapadł z powrotem w kamienny sen.

– Pogadamy w kwaterze głównej – szepnął skaut. – Wertykalny Zbiornik Sadzy wytwarza straszne echo, więc musimy się wspinać w absolutnej ciszy, żeby nie pobudzić Bruce'a i Skautów Śnieżnych. W kominie jest bardzo ciemno, więc chwyty i stopnie trzeba wyczuwać po omacku. W dodatku dym utrudnia oddychanie, ale nie zdejmujcie masek, to podziałają jak filtry. Ja pójdę pierwszy. Gotowi?

Wioletka z Klausem odwrócili się do siebie. Chociaż nie widzieli się przez maski, czuli, że oboje są całkiem niegotowi do akcji. Zapuścić się za obcym osobnikiem w tajne przejście wnętrzem góry, wiodące rzekomo do kwatery głównej, której istnienia Baudelaire'owie nawet nie byli pewni – to zdecydowanie nie wyglądało na bezpieczny plan. Ostatnim razem, gdy Klaus z Wioletką zgodzili się na ryzykowną podróż, porwano im siostrę. Co mogło zdarzyć się tym

razem, gdy znajdą się sam na sam z tajemniczym zamaskowanym osobnikiem w ciemnym,
zadymionym otworze skalnym?

– Rozumiem, że boicie się mi zaufać, skoro
zawiedliście się dotąd na tak wielu osobach – powiedział skaut w swetrze.

– A na jakiej podstawie mielibyśmy ci ufać? –
spytała Wioletka.

Skaut chwilę patrzył w ziemię, a potem zwrócił zamaskowaną twarz ku Baudelaire'om.

– Jedno z was, rozmawiając z Bruce'em o tej
bzdurnej przysiędze, wymieniło słowo „ypsilon".
Greckie słowo „ypsilon", którego synonimem
jest „igrek", oznacza po prostu literę Y.

– On ma rację – mruknął Klaus do siostry.

– Wiem, że dobra znajomość słownictwa nie
gwarantuje, że jestem dobrym człowiekiem. Ale
na pewno świadczy o tym, że dużo czytam.
A z mojego doświadczenia wynika, że im kto jest
bardziej oczytany, tym mniej jest skłonny do zła.

Wioletka z Klausem znów spróbowali spojrzeć na siebie przez maski. Słowa skauta nie do

końca ich przekonały. Na świecie żyje przecież mnóstwo złych ludzi, którzy przeczytali setki książek, i mnóstwo dobrych ludzi, którzy spędzają czas na zajęciach innych niż czytanie. Mimo to Baudelaire'owie uznali, że w tym, co powiedział skaut, jest sporo prawdy i że oni osobiście są bardziej skłonni podjąć ryzyko z nieznajomym, który wie, co znaczy „ypsilon", niż opuścić grotę i szukać kwatery głównej na własną rękę. Odwrócili się więc do skauta, kiwnęli maskami i ruszyli za przewodnikiem w głąb komina, upewniwszy się wpierw, że mają z sobą wszystkie przedmioty zabrane z barakowozu. Zagłębienia w ścianach okazały się wyjątkowo pomocne we wspinaczce i już po krótkim czasie Baudelaire'owie pięli się bez trudu za tajemniczym skautem ciemnym, zadymionym wnętrzem skalnego komina.

Wertykalny Zbiornik Sadzy, łączący kwaterę główną w Górach Grozy z jaskinią Wolontariatu Zwierząt Szpiegowskich, stanowił jedną z najpilniej strzeżonych tajemnic na świecie. Każdy, kto chciał z niego skorzystać, musiał udzielić poprawnych odpowiedzi na szereg pytań, dotyczących grawitacji, obyczajów mięsożernych zwierząt oraz zasadniczych wątków rosyjskich powieści. Dlatego tylko nieliczni znali choćby lokalizację tajnego przejścia. Przed przybyciem Baudelaire'ów przejścia tego nie używano od wielu lat, dokładnie od dnia, w którym jeden z moich towarzyszy usunął z niego słup zjazdowy, aby go użyć do konstrukcji łodzi podwodnej. Można więc śmiało stwierdzić, że Wertykalny Zbiornik Sadzy należał do dróg rzadko uczęszczanych – rzadziej nawet niż ścieżka wiodąca w Góry Grozy, na której rozpoczęła się akcja tej książki.

Jakkolwiek starsi Baudelaire'owie mieli ważkie powody, aby podążyć drogą rzadko uczęszczaną, gdyż chcieli jak najszybciej dotrzeć do kwatery głównej i wyratować siostrzyczkę z łap Hrabiego Olafa, to nie ma żadnego powodu, abyście i wy wkraczali na drogę rzadko uczęszczaną, podejmując lekturę dalszej części tego przygnębiającego rozdziału, który opisuje ich mroczną i zadymioną wędrówkę.

Nawet przez maskę trudno było oddychać w atmosferze pełnej sadzy z ogniska Skautów Śnieżnych, więc Baudelaire'owie z wysiłkiem powstrzymywali się od kaszlu, wiedząc, że jego echo poniesie się w dół skalnym kominem i obudzi Bruce'a – nie ma jednak powodu, abyście wy z wysiłkiem brnęli przez ponury opis ich trudności. Wiele pająków, zauważywszy, że wgłębienia skalne są od dawna nieużywane, zagnieździło się w nich, tworząc wielkie pajęcze królestwo – lecz wy nie macie obowiązku czytać, co się dzieje, gdy tłum pająków zostaje nagle wyrwany z drzemki przez ludzkie stopy, wspinające się po ich nowych domostwach. Im wyżej Baudelaire'owie wspinali się za skautem, tym silniej dmuchał na nich z góry mroźny wicher, hulający po skalnym kominie, więc trzymali się kurczowo chwytów, aby nie dać się zwiać z powrotem na dno jaskini. Choć jednak oni uznali za konieczne piąć się dalej przez cały ciemny dzień, aby jak najprędzej dotrzeć do kwatery głównej, a ja uznałem za konieczne opisać to do końca, aby zdać jak najprawdziwszą i najdokładniejszą relację o losach Baudelaire'ów – to nie ma konieczności, abyście wy doczytali ten rozdział do końca, narażając się na smutek i łzy. Opis wędrówki Baudelaire'ów drogą rzadko uczęszczaną zaczyna się na następnej stronie, ale błagam was, nie podążajcie tamtędy wraz z nimi. Skradnijcie raczej kartkę z książki Bruce'a i przejdźcie od razu do Rozdziału Szóstego, gdzie znajdziecie relację o perypetiach Słoneczka Baudelaire z Hrabią Olafem – co tu oznacza: „okazjach do podsłuchiwania podczas szykowania posiłków dla trupy teatralnej" – albo omińcie także Rozdział Szósty i poczytajcie Rozdział Siódmy, w którym starsi Baudelaire'owie docierają do kwatery WZS i odkrywają tożsamość swojego przewodnika. Możecie też obrać drogę najbardziej uczęszczaną, zamknąć tę książkę i poszukać sobie jakiegoś lepszego zajęcia zamiast czytać dalej żałosną opowieść o sierotach

Baudelaire, po której będziecie tylko zmęczeni, zapłakani i oczytani.

Przeprawa Baudelaire'ów Wertykalnym Zbiornikiem Sadzy była tak mroczna i najeżona trudnościami, że nie wystarczy napisać: Przeprawa Baudelaire'ów Wertykalnym Zbiornikiem Sadzy była tak mroczna i najeżona trudnościami, że nie wystarczy napisać: Przeprawa Baudelaire'ów Wertykalnym Zbiornikiem Sadzy była tak mroczna i najeżona trudnościami, że nie wystarczy napisać: Przeprawa Baudelaire'ów Wertykalnym Zbiornikiem Sadzy była tak mroczna i najeżona trudnościami, że nie wystarczy napisać: Przeprawa Baudelaire'ów Wertykalnym Zbiornikiem Sadzy była tak mroczna i najeżona trudnościami, że nie wystarczy napisać: *Kochana Siostro!* Ryzykuję niezmiernie, ukrywając list do Ciebie w jednej ze swoich książek, lecz jestem pewien, że nawet najbardziej melancholijny i oczytany człowiek na świecie uzna moją relację o losach sierot Baudelaire za jeszcze bardziej przygnębiającą, niż to zapowiadałem, w związku z czym książka ta stać będzie nietknięta na półkach bibliotek, czekając, aż Ty ją otworzysz i znajdziesz moją wiadomość. Na wszelki wypadek zamieściłem na poprzednich stronach ostrzeżenie, że końcowa część rozdziału opisuje przeprawę Baudelaire'ów Wertykalnym Zbiornikiem Sadzy. Kto gotów jest przeczytać taki opis, temu powinno starczyć odwagi również na lekturę mojego listu do Ciebie.

Nareszcie dowiedziałem się, gdzie znajdę dowody, które mnie uniewinnią, to znaczy: przekonają władze, że to nie ja, a Hrabia Olaf był sprawcą licznych pożarów. Twoja sugestia, wygłoszona przed laty na pikniku, że serwis do herbaty nadawałby się znakomicie do ukrycia czegoś małego i ważnego, gdyby przyszła czarna godzina, okazała się wyjątkowo trafna. (Dodam, że równie trafna okazała się wygłoszona na tymże pikniku sugestia sporządzenia wyśmienitej sałatki z tak prostych składników jak plasterki mango, czarna fasola i siekany seler naciowy, z dodatkiem czarnego pieprzu, soku z cytryny i oliwy z oliwek).

Jestem w drodze do doliny pod Wielkim Zawianym Szczytem, gdzie zamierzam kontynuować badanie sprawy Baudelaire'ów. Mam też nadzieję zdobyć tam wyżej wspomniane dowody. Szczęścia już nie odzyskam – za późno na to – ale mogę przynajmniej odzyskać dobre imię. Z kwatery WZS udam się prosto do Hotelu Ostateczność. Powinienem się tam zjawić – bezpieczniej będzie nie podawać na piśmie dokładnej daty, ale jestem pewien, że pamiętasz, kiedy wypadają urodziny Beatrycze. Oczekuj mnie w hotelu. Spróbuj załatwić pokój bez brzydkich zasłon.

Z całym należnym szacunkiem

Lemony Snicket

Lemony Snicket

PS. Siekany seler naciowy można zastąpić rabarbarem – też pycha.

W bardzo wczesnych godzinach porannych, gdy dwoje starszych Baudelaire'ów w pocie czoła szukało oparcia dla nóg, pnąc się w górę Wertykalnym Zbiornikiem Sadzy – a mam szczerą nadzieję, że nie czytaliście opisu tej przeprawy – Słoneczko Baudelaire poszukiwało oparcia całkiem innego rodzaju. Nie czuło się najlepiej po długiej, zimnej nocy na Górze Cug. Jeśli zdarzyło wam się spać w zamkniętym naczyniu żaroodpornym na najwyższym szczycie łańcucha górskiego, to sami wiecie, że nie jest to najwygodniejsze miejsce odpoczynku, nawet jeżeli znajdzie się w środku ściereczkę, mogącą posłużyć za kocyk. Przez dziurki w pokrywie wiało tak niemiłosiernie, że Słoneczko calutką noc szczękało z zimna wielkimi zębami, które co chwila kaleczyły mu usta i robiły taki hałas, że o spaniu nie było mowy. A gdy wreszcie pierwsze promienie słońca ogrzały nieco wnętrze i pozwoliły Słoneczku się zdrzemnąć, Hrabia Olaf wyszedł z namiotu, kopniakiem odkrył naczynie żaroodporne i zaczął komenderować Słoneczkiem.

– Wstawaj, ty zmoro dentystów! – wrzasnął.

Słoneczko uchyliło jedno niewyspane oko i ujrzało przed sobą nogę łotra, a konkretnie jego lewą stopę, z tatuażem nad kostką. Na ten widok pożałowało, że dało się obudzić.

Tatuaż nad kostką Olafa wyobrażał oko, a Słoneczku zdawało się, że to oko śledzi Baudelaire'ów na każdym kroku ich pechowej drogi, od dnia, gdy na Piaszczystej Plaży dowiedzieli się, że ich dom spłonął doszczętnie w strasznym pożarze. Od czasu do czasu Hrabia Olaf maskował tatuaż, aby uniknąć rozpoznania przez władze, ale Baudelaire'owie zawsze odkrywali fatalne oko pod groteskowym przebraniem łotra, a poza tym zaczęli je dostrzegać również w innych miejscach – na przykład w gabinecie złego hipnotyzera, przy wejściu do namiotu w wesołym miasteczku, na torebce Esmeraldy Szpetnej, czy w wisiorku na szyi tajemniczej wróżki. Oko to w pewnym sensie zastąpiło Baudelaire'om czujne oczy ich rodziców, ale zamiast czuwać nad tym, aby Wioletce, Klausowi i Słoneczku nic złego się nie stało, patrzyło obojętnie, jakby wcale nie dbało o ich kłopoty albo nic nie mogło na nie poradzić. Przyglądając się z bliska temu oku, można było dostrzec sprytnie w nim ukryte litery WZS – co z kolei przypomniało Słoneczku o wszystkich mrocznych sekretach związanych z rodzeństwem Baudelaire'ów, i o tym, jak daleko są oni jeszcze od rozwiązania zawiłej tajemnicy, w którą zostali uwikłani. Ale trudno jest rozmyślać od rana o tajemnicach i sekretach, szczególnie gry ktoś stoi nad nami i wrzeszczy, więc Słoneczko skupiło uwagę na tym, co mówił do niego porywacz.

– Będziesz dla nas gotować i sprzątać, sieroto – grzmiał Hrabia Olaf. – Na początek podasz nam śniadanie. Czeka nas ciężki dzień, więc musimy zjeść porządne śniadanie na ciepło, żeby nabrać sił do popełniania dalszych przewrotnych przestępstw.

– Plakna? – spytało Słoneczko, komunikując: „Jak mam przyrządzić śniadanie na ciepło na lodowatym szczycie góry?".

Ale Hrabia Olaf tylko uśmiechnął się złośliwie.

– Szkoda, że twój móżdżek, małpiszonie, nie jest taki duży, jak twoje zęby. Jak zwykle bredzisz bez sensu.

Słoneczko westchnęło, żałując, że na Górze Cug nie ma nikogo, kto by je zrozumiał.

– Translo – powiedziało, komunikując: „Jeśli się czegoś nie rozumie, to niekoniecznie znaczy, że jest to bez sensu".

– No proszę, znowu bredzi! – parsknął Olaf i cisnął Słoneczku kluczyki od samochodu. – Wyciągaj prowiant z bagażnika i bierz się do roboty.

Słoneczku przyszła nagle do głowy myśl, która nieco je rozweseliła.

– Bajubaju – powiedziało, komunikując na swój sposób: „To świetnie! Skoro mnie nie rozumiesz, mogę ci powiedzieć, co chcę, a ty i tak się nie domyślisz, o co mi chodzi".

– Nudzą mnie twoje żałosne wady wymowy – stwierdził Olaf.

– Brudal – odparło Słoneczko, komunikując: „Moim zdaniem, przydałaby ci się pilnie kąpiel, a twoim ubraniom przepierka".

– Zamknij się natychmiast! – rozkazał Olaf.

– Buszinej – rzekło na to Słoneczko, komunikując coś w sensie: „Jesteś złym człowiekiem i nie obchodzą cię zupełnie inni ludzie".

– Cicho! – wrzasnął Olaf. – Cicho bądź i bierz się do garów!

Słoneczko wygramoliło się z naczynia żaroodpornego i stanęło z boku, patrząc w ośnieżoną ziemię, żeby łotr nie zauważył jego uśmiechu. Wiadomo, że nieładnie jest drwić sobie z ludzi, ale najmłodsza sierota Baudelaire czuła, że to nic złego zabawić się kosztem tak okrutnego i podłego łotra, więc ruszyła ku automobilowi Olafa z dziarskim podskokiem, czyli: „w zdumiewająco pogodnym nastroju, jak na kogoś, kto tkwi w szponach bezwzględnego przestępcy, na mroźnym szczycie góry, gdzie nawet wodospad zamarzł na kamień".

Kiedy jednak Słoneczko Baudelaire otworzyło bagażnik, uśmiech ulotnił się z jego buzi. W normalnych okolicznościach nie należy przez dłuższy czas przechowywać produktów spożywczych w bagażniku, gdyż niektóre artykuły psują się w zbyt wysokiej temperaturze. Okazało się jednak, że w temperaturze panującej na szczytach Gór Grozy żywność zamarzła na kość. Każdy z produktów pokrywała cienka warstewka szronu, tak że Słoneczko musiało przede wszystkim wleźć do środka i gołą rączką poprzecierać opakowania, żeby sprawdzić, co może podać na śniadanie trupie Olafa.

Było tam mnóstwo świetnie zamrożonych specjałów, które Olaf ukradł z wesołego miasteczka,

ale nic nie nadawało się na solidne, gorące śniadanie. Pod kuszą harpunową i bryłą mrożonego
szpinaku znalazło Słoneczko torebkę ziarnistej
kawy, jednak nie miało czym jej zemleć, aby za-
parzyć napój. Obok kosza ze sprzętem piknikowym i wielkiej torby grzybów stała butla soku pomarańczowego, zamarzniętego jednak na
kamień, czemu winne było jej bliskie sąsiedz-
two z dziurą po ostrzale w pokrywie bagażnika.
Wreszcie, odsunąwszy na bok trzy bloki zlodowaciałego sera, sporą puszkę orzechów wodnych
i kabaczek, od którego samo było niewiele większe, natrafiło na mały słoik konfitur jeżynowych
i bochenek tostowego chleba, z którego miało
nadzieję zrobić grzanki, chociaż na razie przypominał on raczej zmarzniętą kłodę niż produkt
śniadaniowy.

– Pobudka! – Słoneczko wyjrzało z bagażnika:
to Olaf wołał od wejścia drugiego z namiotów,
rozbitych minionej nocy przez najmłodszą lato-
rośl Baudelaire'ów. – Wstawać! Ubierać się! Zaraz śniadanie!

– Nie moglibyśmy pospać jeszcze trochę? – jęknął ze środka hakoręki. – Miałem taki piękny sen: śniło mi się, że kicham bez zakrywania nosa i ust i na wszystkich rozsiewam zarazki!

– Nie ma mowy! – odrzekł twardo Olaf. – Czeka was masa roboty.

– Ależ Olafie! – zaprotestowała Esmeralda Szpetna, wyłaniając się z namiotu, który dzieliła z Hrabią Olafem. Miała na sobie długi szlafrok i ranne pantofle obszyte puszkiem, a na głowie – papiloty. – Muszę mieć trochę czasu, żeby zdecydować, w co się ubrać. Obecnie nie wypada palić kwater głównych inaczej, jak w najmodniejszych strojach.

Słoneczko zamarło z wrażenia w bagażniku. Wiedziało, że Olafowi zależy na jak najszybszym dotarciu do kwatery WZS, gdyż chce tam zdobyć resztę jakichś ważnych dla siebie dokumentów – nie przewidziało jednak, że Olaf połączy grabież z typowym dla siebie aktem piromanii, co tu oznacza: „umiłowania widoku ognia, charakterystycznego dla umysłów niezrównoważonych".

– Nie rozumiem, co ci zabiera tyle czasu – odburknął narzeczonej Hrabia Olaf. – Spójrz na
mnie: tygodniami noszę to samo, chyba że cho-
dzę w przebraniu, a zawsze wyglądam wprost
zniewalająco. No, ale skoro się upierasz, to do
śniadania masz jeszcze parę minut. Powolna ob-
sługa to spory minus niewolniczej pracy niemowląt.

Olaf podszedł do samochodu i zajrzał do bagażnika, gdzie Słoneczko mocowało się nadal
z zamarzniętym chlebem.

– Szybciej, zębolu! – warknął. – Spodziewam
się smacznego, gorącego śniadanka, bo zmarz-
łem dziś od rana.

– Niemozi! – krzyknęło rozpaczliwie Słoneczko, komunikując: „Aby przygotować gorący posiłek bez elektryczności, potrzebny jest przynajmniej ogień, a wymagać od niemowlęcia, żeby
samo rozpaliło ogień na szczycie ośnieżonej góry, to okrutna niedorzeczność i niedorzeczne
okrucieństwo!".

Olaf tylko zmarszczył brwi.

– Twoje gaworzenie naprawdę coraz bardziej działa mi na nerwy – powiedział.

– Higien – odparło Słoneczko, aby podnieść się nieco na duchu. Komunikowało w ten sposób coś w sensie: „A poza tym powinieneś się wstydzić, że tygodniami chodzisz w tych samych ciuchach i nawet się nie myjesz".

Olaf wykrzywił się szpetnie i odszedł do swojego namiotu.

Słoneczko zaś spojrzało z namysłem na zimne produkty. Nawet gdyby nie było za małe, aby samodzielnie rozpalić ogień, i tak bałoby się to zrobić, gdyż ogień budził w nim lęk od czasu, gdy pożar strawił dom Baudelaire'ów. Ale na wspomnienie pożaru, który zniszczył jego dom, Słoneczku przypomniało się coś, co kiedyś powiedziała mu mama. Uwijały się właśnie obie w kuchni: mama szykowała wykwintny lunch, a Słoneczko rzucało co chwila widelec na podłogę, aby sprawdzić, jaki wyda dźwięk. Lunch miał być gotów za parę minut, więc mama Słoneczka w pośpiechu mieszała sałatkę, składającą się z plastrow mango, czarnej fasoli i siekanego selera naciowego, z dodatkiem czarnego pieprzu, soku z cytryny i oliwy z oliwek.

– To dosyć prosty przepis, Słoneczko – powiedziała mama – ale gdy ułożę sałatkę bardzo ładnie na eleganckich talerzach, wszyscy pomyślą, że szykowałam ją cały dzień. Przy gotowaniu sposób podania jest często równie ważny, jak samo danie.

Wspomniawszy te słowa, Słoneczko otworzyło kosz ze sprzętem piknikowym i odkryło w nim komplet eleganckich talerzy, przyozdobionych znajomymi emblematami oka, oraz niewielki serwis do herbaty. Zakasało więc rękawy – co tu oznacza: „całą uwagę skupiło na wykonaniu zadania, chociaż rękawów nie podwinęło, bo na najwyższym szczycie Gór Grozy było strasznie zimno" – i wzięło się do dzieła, a tymczasem Hrabia Olaf i jego kompania zaczynali pomału nowy dzień.

– Rozłoży się koc i będzie obrus – dobiegł z namiotu głos Olafa, który Słoneczko usłyszało przez donośne szczękanie własnych zębów.

– Dobry pomysł – odpowiedział głos Esmeraldy. – Spożywanie posiłków *al fresco* jest bardzo w modzie.

– Co to znaczy? – spytał Olaf.

– To znaczy „na powietrzu", rzecz jasna – wyjaśniła Esmeralda. – W modzie jest spożywanie posiłków na wolnym powietrzu.

– Sam to wiedziałem – odburknął Hrabia Olaf. – Sprawdzałem tylko, czy ty wiesz.

– Hej, szefie! – zawołał Hugo z sąsiedniego namiotu. – Colette nie chce mi pożyczyć nitki do zębów!

– A na co ci nitka do zębów? – zdziwił się Hrabia Olaf. – Nadaje się tylko do duszenia osobników z wyjątkowo cienką szyją.

– Kevin, możesz coś dla mnie zrobić? – spytał hakoręki, akurat gdy Słoneczko mocowało się z zakrętką na butli soku. – Pomóż mi się uczesać, bo hakami dosyć trudno.

– Zazdroszczę ci tych haków – powiedział Kevin. – Lepiej w ogóle nie mieć rąk niż obie jednakowo sprawne.

– Nie opowiadaj głupstw – zirytowała się jedna z bladolicych. – Nie ma nic gorszego, niż mieć białą twarz.

– Masz białą twarz tylko dlatego, że używasz białego pudru – zauważyła Colette. Słoneczko usłyszało ją, wyłażąc z bagażnika i klękając na ośnieżonej ziemi. – O, znowu się pudrujesz.

– Musicie każdy dzień zaczynać od kłótni? – skarcił je Hrabia Olaf, wynosząc ze swojego namiotu koc z deseniem w mnóstwo oczu. – Niech ktoś weźmie ode mnie ten koc i nakryje do stołu – o, tam, na tym płaskim kamieniu.

Hugo wyszedł z namiotu i uśmiechnął się do nowego szefa.

– Ja to zrobię, z miłą chęcią – zaproponował.

Potem ukazała się Esmeralda w szokująco czerwonym kombinezonie i objęła czule Olafa.

– Złóż koc w duży trójkąt – powiedziała. – To najnowsza moda.

– Tak jest, proszę pani – odparł skwapliwie Hugo. – Za pozwoleniem, chciałbym zauważyć, że ma pani wyjątkowo gustowny kombinezon.

Niecna narzeczona łotra obróciła się w kółko, aby zaprezentować kombinezon w całej okazałości. Słoneczko, odrywając na chwilę wzrok od zajęć kulinarnych, zauważyło naszytą na plecach kombinezonu literę B, a obok emblemat z okiem.

– Miło mi, że podoba ci się mój kombinezon, Hugonie – rzekła Esmeralda. – Kradziony – dodała z dumą.

Hrabia Olaf rzucił okiem na Słoneczko i pospiesznie zasłonił narzeczoną.

– Co się tak gapisz, zębolu? – warknął. – Skończyłaś szykować śniadanie?

– Prawie – odparło Słoneczko.

– Ten pętak stale gada coś bez sensu – skrzywił się Hugo. – Nic dziwnego, że nabrał nas wszystkich w wesołym miasteczku, zgrywając dziwoląga.

Słoneczko westchnęło, ale nikt tego nie usłyszał, bo cała trupa Olafa rechotała donośnie. Jedno po drugim wychodzili z namiotu, kierując się do płaskiego kamienia, który Hugo właśnie nakrywał kocem. Jedna z bladolicych spojrzała na Słoneczko i nawet się do niego uśmiechnęła, ale nikt nie zaproponował maleństwu pomocy w szykowaniu śniadania, czy choćby w rozstawieniu na stole talerzy z emblematem oka. Przeciwnie: obsiedli skałę i gadając sobie wesoło, czekali, aż Słoneczko z największą ostrożnością przydźwiga im śniadanie na wielkiej tacy w kształcie oka, którą znalazło na samym dnie kosza z zastawą piknikową. Mimo lęku przed niewolą w szponach Olafa i niepokoju o rodzeństwo Słoneczko nie bez pewnej dumy zaprezentowało Hrabiemu Olafowi i jego kompanom przygotowany przez siebie posiłek.

Słoneczko dobrze zapamiętało słowa mamy, że sposób podania jest równie ważny jak same potrawy, więc mimo niesprzyjających okoliczności sporządziło naprawdę śliczne śniadanko. Na początek otworzyło butlę zamarzniętego soku pomarańczowego i małą łyżeczką wygrzebało ze środka sporą kupkę lodowych wiórków, którą następnie rozdzieliło na wszystkie talerze w postaci apetycznych porcji pomarańczowego sorbetu – dodatku, który często serwuje się na zimno na wytwornych przyjęciach i balach maskowych. Następnie przepłukało starannie buzię stopionym śniegiem, żeby jak najczyściejszymi zębami porozgryzać ziarenka kawy. Tak rozdrobnioną kawę ponakładało po trochu do filiżanek i zalało śniegiem, roztopionym we własnych rączkach, uzyskując w ten sposób mrożoną kawę – przepyszny napój, którego ja po raz pierwszy skosztowałem w Tajlandii, gdzie wybrałem się celem przeprowadzenia wywiadu z pewnym taksówkarzem. Przez cały ten czas najmłodsze z Baudelaire'ów rozmrażało pod koszulą chleb, aby móc go rozłożyć po kromce na wszystkich talerzach i za pomocą łyżeczki udekorować każdą kromkę konfiturą jeżynową. Chcąc sprawić przyjemność łotrom, którzy mieli jeść kanapki, starało się rozsmarowywać konfiturę w kształt oka, a dla zwieńczenia dzieła umieściło w dzbanuszku na śmietankę znaleziony przypadkiem bukiecik bluszczu, który Hrabia Olaf nie tak dawno ofiarował swojej narzeczonej.

Śmietanki i tak nie było, a bukiecik dodał urody całej kompozycji, stanowiąc jej akcent centralny – co tu oznacza: „dekorację umieszczaną pośrodku zastawy, często w celu odwrócenia uwagi gości od samego jedzenia". Naturalnie, sorbet pomarańczowy i mrożona kawa nie stanowią typowego śniadania serwowanego *al fresco* na górskich szczytach, a chleb z konfiturą podaje się tradycyjnie w postaci grzanek, jednak nie dysponując ani źródłem ciepła, ani sprzętem kuchennym, Słoneczko wywiązało się z zadania najlepiej, jak mogło – miało więc nadzieję, że Olaf i jego trupa docenią jego wysiłki.

– Kafefredde, sorbet, tosty – zaanonsowało.

– Co to ma być? – spytał podejrzliwie Hrabia Olaf, zaglądając do filiżanki. – Wygląda na kawę, ale jest zimne jak lód!

– A to pomarańczowe świństwo? – skrzywiła się nieufnie Esmeralda. – Życzę sobie modnego posiłku, a nie kupki lodu!

Colette wzięła do ręki kanapkę i obrzuciła ją podejrzliwym spojrzeniem.

– Ta grzanka jest surowa! – oświadczyła. – Czy grzanki na surowo nie szkodzą?

– Jasne, że szkodzą – rzekł Hugo. – Założę się, że ten pętak chce nas otruć.

– Szczerze mówiąc, ta kawa nie jest taka zła – powiedziała jedna z bladolicych. – Może trochę gorzkawa. Czy ktoś mógłby podać mi cukier?

– Cukier? – zaskrzeczał gniewnie Hrabia Olaf. Wstał z miejsca, chwycił za skraj koca i szarpnął z całej siły, niwecząc skutki ciężkiej pracy Słoneczka. Żywność, napoje i naczynia poszybowały na wszystkie strony, a Słoneczko w ostatniej chwili uchyliło się przed nadlatującym widelcem. – Cały cukier świata nie uratuje tego koszmarnego śniadania! – wrzasnął Olaf, chuchając w zimnym powietrzu swym nieświeżym oddechem. – Nie zauważyłaś, na jakiej jesteśmy wysokości, ty zębata pokrako? Jak cię zrzucę ze szczytu Góry Cug, będzie po tobie!

– Olafie! – upomniała go Esmeralda. – Doprawdy, dziwię ci się! Chyba nie zapomniałeś, że jeśli strącimy Słoneczko w przepaść, nigdy nie zdobędziemy fortuny Baudelaire'ów. Musimy zachować Słoneczko przy życiu, dla wyższych celów.

– Wiem, wiem – machnął ręką Hrabia Olaf. – Nie zapomniałem. Nie mam zamiaru spychać sieroty w przepaść, chciałem ją tylko nastraszyć. – Posłał Słoneczku okrutny uśmieszek, po czym zwrócił się do hakorękiego: – Idź no do tego zamarzniętego wodospadu i wybij hakiem przerębel. W wodzie jest pełno padłych pstrągów. Nałap tyle, żeby starczyło dla nas wszystkich, a dzieciak zrobi nam z nich przyzwoity posiłek.

– Dobry pomysł, Olafie – pochwalił hakoręki, wstając i kierując się ku lodowemu zboczu. – Jesteś równie sprytny, jak inteligentny.

– Sakesuszi – odezwało się cicho Słoneczko, komunikując: „Nie wiem, czy będą wam smakowały pstrągi na surowo".

– Przestań gaworzyć i bierz się za zmywanie! – rozkazał Olaf. – Wszystkie naczynia są upaćkane twoim świńskim żarciem.

– Nie chcę się wtrącać, Olafie – powiedziała bladolica, która przed chwilą prosiła o cukier –

ale może wyznaczylibyśmy do gotowania kogoś innego? Niemowlę mogło mieć kłopoty z przyrządzeniem ciepłego śniadania bez ognia.

– Przecież jest ogień – odezwał się głęboki, niski głos, i oczy wszystkich zwróciły się w tamtą stronę.

Ktoś, kto roztacza aurę zagrożenia, przypomina osobę trzymającą w domu oswojoną łasicę – typ rzadko spotykany, a gdy się już takiego spotka, człowiek najchętniej schowałby się przed nim pod stół. Aura zagrożenia to dotkliwe przeczucie zła, które towarzyszy pojawieniu się pewnych osób, ale niewiele jest osób aż tak złych, aby roztaczały naprawdę silną aurę zagrożenia. Hrabia Olaf, na przykład, roztaczał aurę zagrożenia, którą sieroty Baudelaire poczuły, gdy tylko go poznały – ale wiele innych osób wcale nie czuło, że mają obok siebie łotra, nawet jeśli Olaf stał tuż-tuż, z szatańskim błyskiem w oku. Gdy jednak dwie postacie zjawiły się znienacka na najwyższym szczycie Gór Grozy, rozsiewana przez nie aura zagrożenia nie budziła niczyich wątpliwości. Słoneczko na ich widok wstrzymało dech. Esmeralda Szpetna zadrżała w swym modnym kombinezonie. Wszyscy członkowie trupy Olafa – poza hakorękim, który w tym czasie łowił pstrągi i miał szczęście przegapić moment nadejścia gości – wbili wzrok w ośnieżoną ziemię, lękając się spojrzeć na przybyszów drugi raz. Nawet Hrabia Olaf wyglądał na lekko zdenerwowanego, gdy mężczyzna, kobieta i towarzysząca im aura zagrożenia zbliżyli się niebezpiecznie do niego i jego trupy. Nawet ja sam, chociaż upłynęło już tyle czasu, pisząc o tych osobach odczuwam nadal tak silną aurę zagrożenia, że nie nazwę ich po imieniu, tylko powiem tak, jak mówią o nich ci, którzy w ogóle ośmielają się o nich mówić: „mężczyzna z brodą, ale bez włosów" i „kobieta z włosami, ale bez brody".

– Miło cię widzieć, Olafie – odezwał się ponownie gruby głos i wtedy Słoneczko zauważyło, że należy on do budzącej grozę kobiety. Kobieta miała na sobie silnie błyszczący kombinezon z dziwnej niebieskiej tkaniny, ozdobiony dużymi naramiennikami. Ciągnęła drewniany tobogan – co tutaj znaczy: „duże, kilkuosobowe sanki" – szorujący nieprzyjemnie po zmarzniętej ziemi. – A już się martwiłam, że władze cię aresztowały.

– Nieźle wyglądasz – dodał mężczyzna z brodą, ale bez włosów. Ubrany był identycznie jak kobieta z włosami, ale bez brody, tylko głos miał bardzo schrypnięty, jakby godzinami krzyczał i teraz ledwo mógł mówić. – Sporo czasu minęło, odkąd widzieliśmy się po raz ostatni.

Mężczyzna posłał Olafowi uśmiech zimniejszy niż zlodowaciały szczyt Góry Cug, a potem pomógł kobiecie oprzeć tobogan o głaz, na którym Słoneczko jeszcze niedawno serwowało śniadanie. Najmłodsza z Baudelaire'ów zauważyła, że na toboganie wymalowane jest znajome oko oraz że jest on zaopatrzony w długie, skórzane lejce – zapewne do sterowania.

Hrabia Olaf zakaszlał cicho w dłoń, tak jak to często robią ludzie, którzy nie wiedzą, co powiedzieć.

– Cześć – bąknął w końcu nerwowo. – Ktoś tu mówił o ogniu czy się przesłyszałem?

Mężczyzna z brodą, ale bez włosów i kobieta z włosami, ale bez brody, spojrzeli po sobie i wybuchnęli śmiechem, na dźwięk którego Słoneczko zakryło uszy rączkami.

– Czyżbyś nie zauważył, że w okolicy brak komarów śnieżnych? – spytała kobieta.

– Owszem, zauważyliśmy to – odparła Esmeralda. – Ale myślałam, że komary śnieżne po prostu wyszły z mody.

– Nie bądź śmieszna, Esmeraldo – rzekł mężczyzna z brodą, ale bez włosów. I ucałował Esmeraldę w rękę, wyraźnie drżącą, co zwróciło uwagę Słoneczka. – Komarów nie ma, bo poczuły dym.

– Ja nic nie czuję – oświadczył Hugo.

– Ale gdybyś był mikroskopijnym komarem, na pewno byś poczuł – odparła kobieta z włosami, lecz bez brody. – Gdybyś był komarem śnieżnym, poczułbyś dym z kwatery głównej WZS.

– Oddaliśmy ci przysługę, Olafie – powiedział mężczyzna. – Puściliśmy całą budę z dymem.

– Nie! – krzyknęło Słoneczko, zanim zdążyło ugryźć się w język. Krzycząc „Nie!", Słoneczko zakomunikowało: „Mam szczerą nadzieję, że to nieprawda, bo wraz z rodzeństwem liczyłam na to, że dotrzemy do kwatery WZS, wyjaśnimy dotyczącą nas tajemnicę i może nawet odnajdziemy któreś z rodziców". Ale najmłodsze z Baudelaire'ów wcale nie chciało powiedzieć tego głośno. Przybysze spojrzeli na maleństwo, porażając je aurą zagrożenia.

– Co to jest? – spytał mężczyzna z brodą, ale bez włosów.

– Najmłodsza sierota Baudelaire – odparła Esmeralda. – Dwoje pozostałych wyeliminowaliśmy, a to jedno trzymamy dla szantażu, dopóki nie zagarniemy wreszcie ich fortuny.

Kobieta z włosami, ale bez brody, pokiwała głową.

– Niemowlęta na służbie są bardzo kłopotliwe – stwierdziła. – Ja też miałam kiedyś niemowlę na służbie, dawno temu, jeszcze przed schizmą.

– Przed schizmą? – powtórzył Olaf, a Słoneczko pożałowało, że w pobliżu nie ma Klausa, gdyż nie wiedziało, co znaczy słowo „schizma". – To faktycznie dawno temu. Niemowlę zdążyło już pewnie nieźle podrosnąć.

– Niekoniecznie – roześmiała się kobieta, a jej towarzysz schylił się, żeby lepiej obejrzeć Słoneczko. Maleństwo nie mogło znieść spojrzenia mężczyzny z brodą, ale bez włosów, więc patrzyło na jego błyszczące buty.

– A więc to jest Słoneczko Baudelaire – zachrypiał dziwnym głosem nieznajomy. – No, no, no. Sporo słyszałem o tej sierotce. Narobiła nam prawie tyle problemów, co jej rodzice. – Wyprostował się z powrotem i ogarnął wzrokiem Olafa oraz jego trupę. – Ale my umiemy rozwiązywać problemy, prawda? Ogień potrafi rozwiązać każdy problem na świecie.

Roześmiał się, a kobieta z włosami, ale bez brody, zawtórowała mu basem. Hrabia Olaf też zachichotał nerwowo, gromiąc wzrokiem kompanów, aż i oni przyłączyli się do zbiorowego śmiechu. Słoneczko znalazło się nagle w otoczeniu rosłych, rozrechotanych łotrów.

– Ach, cóż to była za pyszna zabawa! – zaśmiewała się kobieta z włosami, ale bez brody. – Najpierw podpaliliśmy kuchnię. Potem jadalnię. Potem salon, centrum kamuflażu, salę kinową i stajnie. Po nich z dymem poszła sala gimnastyczna i siłownia, garaż i wszystkie sześć laboratoriów. Spaliliśmy też sypialnie i sale szkolne, aulę, salę teatralną, gabinet muzyczny, muzeum i lodziarnię. Potem puściliśmy z dymem sale prób, ośrodki egzaminacyjne i basen, z którym nie poszło nam łatwo. Potem przyszła kolej na łazienki, a na koniec, dziś w nocy, spaliliśmy do cna bibliotekę WZS. To mi się najbardziej podobało: tysiące książek obróconych w proch – już nikt ich nigdy nie przeczyta. Żałuj, Olafie, że cię tam nie było! Codziennie rano wznecaliśmy nowy pożar, a wieczorem świętowaliśmy kolejny sukces butelką wina i pokazem pacynek. Prawie od miesiąca nie zdejmujemy ognioodpornych kombinezonów. Co za piękne czasy!

– Dlaczego paliliście kwaterę na raty? – zdziwił się Olaf. – Ja, kiedy coś podpalam, to za jednym zamachem.

– Nie dało się tego zrobić za jednym zamachem – odparł mężczyzna z brodą, ale bez włosów. – Ktoś mógłby nas zauważyć. Pamiętaj, że nie ma dymu bez ognia.

– Skoro paliliście pomieszczenia jedno po drugim, to wszyscy wolontariusze zdążyli pewnie pouciekać? – wyraziła przypuszczenie Esmeralda.

– Zrobili to już wcześniej – odparł mężczyzna, drapiąc się po głowie, na której kiedyś pewnie rosły włosy. – Kwaterę główną zastaliśmy całkiem opuszczoną. Jakby spodziewali się naszego przybycia. No trudno, nie można widać mieć wszystkiego.

– Może znajdziemy chociaż kilku, paląc wesołe miasteczko – zadudniła basem kobieta.

– Wesołe miasteczko? – spytał nerwowo Olaf.

– Owszem – potwierdziła kobieta, drapiąc się po brodzie, na której miałaby zarost, gdyby była mężczyzną. – WZS ukryło pewien ważny dowód w pamiątkowej figurce, którą można kupić w kiosku wesołego miasteczka, więc musimy spalić całe wesołe miasteczko.

– Kiedy ja je już spaliłem – przyznał się Olaf.

– Do cna? – zdumiała się kobieta.

– Do cna – potwierdził Olaf i uśmiechnął się do niej niepewnie.

– Gratulacje! – mruknęła basem. – Jesteś lepszy, niż myślałam, Olafie.

Hrabia Olaf odetchnął z wyraźną ulgą, jakby do tej chwili nie był pewien, czy kobieta go pochwali, czy obsztorcuje.

– To wszystko dla większego dobra – odparł skromnie.

– W nagrodę mam dla ciebie prezent, Olafie – rzekła na to kobieta.

Na oczach Słoneczka sięgnęła do kieszeni błyszczącego kombinezonu i wyciągnęła plik papierów, związanych grubym sznurkiem. Papiery wyglądały na bardzo stare i zniszczone, jakby przeszły przez wiele rąk i wiele kryjówek, a może nawet, podzielone na mniejsze pliki, wożone były po mieście dorożkami konnymi, aż w końcu znów ktoś złożył je razem, o północy, na zapleczu księgarni, zamaskowanej jako kawiarnia zamaskowana jako sklep z artykułami sportowymi. Hrabia Olaf zrobił wielkie, wielkie oczy, które błysnęły chciwie, gdy wyciągnął brudne łapska po papiery, jakby to była sama fortuna Baudelaire'ów.

– Akta Snicketa! – szepnął z nabożeństwem.

– Komplet – odparła kobieta. – Wszystkie tabele, mapy i zdjęcia, przez które mogliśmy pójść do więzienia.

– Prawie kompletne – uściślił mężczyzna. – Brakuje, oczywiście, strony trzynastej. O ile wiemy, Baudelaire'om udało się ją wykraść ze Szpitala Schnitzel.

Przybysze znów spojrzeli w dół na Słoneczko Baudelaire, które nie zdołało powstrzymać pisku przerażenia.

– Nimaja! – pisnęło, komunikując coś w sensie: „Ja jej nie mam, ma ją moje rodzeństwo". Tym razem nie potrzebowało jednak tłumacza.

– Miały ją starsze sieroty – powiedział Olaf. – Które prawie na pewno nie żyją.

– W takim razie wszystkie nasze problemy poszły z dymem – podsumowała kobieta z włosami, ale bez brody.

Hrabia Olaf pochwycił akta i przytulił je do piersi jak nowo narodzone dziecię, chociaż nie należał do osób skłonnych ze szczególną czułością traktować nowo narodzone dziatki.

– To najpiękniejszy prezent na świecie – powiedział. – Zaraz wezmę się do czytania.

– Przeczytamy to wspólnie – rzekła kobieta z włosami, ale bez brody. – Jest tam parę sekretów, które wszyscy powinniśmy poznać.

– Najpierw jednak – wtrącił się mężczyzna z brodą, ale bez włosów – pragnę wręczyć upominek twojej narzeczonej, Olafie.

– Mnie? – zdziwiła się Esmeralda.

– Znalazłem to w jednym z pomieszczeń kwatery głównej – odparł mężczyzna. – Sam nigdy wcześniej czegoś takiego nie widziałem, ale minęło sporo lat, odkąd byłem wolontariuszem.

Z chytrym uśmieszkiem sięgnął do kieszeni i wydobył małą, zieloną tutkę.

– Co to jest? – spytała Esmeralda.

– Sądzę, że papieros – odrzekł mężczyzna.

– Papieros! – Esmeralda rozpromieniła się nie mniej niż przed chwilą Olaf. – To ostatni krzyk mody!

– Przypuszczałem, że się pani ucieszy – rzekł mężczyzna. – Proszę spróbować, śmiało. Mam przy sobie zapałki.

Mężczyzna z brodą, ale bez włosów, podpalił zapałką koniec zielonej tutki, którą podał niecnej narzeczonej łotra, ta zaś przytknęła ją do ust i zaciągnęła się łapczywie. Powietrze wypełniła gorzka woń, jakby swąd przypalonych jarzyn, a Esmeralda Szpetna zaczęła strasznie kaszleć.

– Co się stało? – spytała basem kobieta z włosami, ale bez brody. – Myślałam, że lubi pani wszystko, co modne.

– Oczywiście – wykrztusiła Esmeralda i rozkaszlała się na nowo.

Słoneczku przypomniał się pan Poe, który stale kaszlał w chusteczkę, bo Esmeralda krztusiła się i krztusiła, aż z tego wszystkiego upuściła na ziemię zieloną tutkę, z której snuł się w górę ciemnozielony dym.

– Uwielbiam papierosy – zapewniła mężczyznę z brodą, ale bez włosów. – Ale wolę palić je przez długą cygarniczkę, bo mają wstrętny zapach i smak, a poza tym są szkodliwe.

– Mniejsza o papierosy – zniecierpliwił się Hrabia Olaf. – Chodźmy lepiej do mnie do namiotu poczytać akta. – Ruszył przodem, ale obejrzał się i zgromił wzrokiem kamratów, którzy już zdążali za nim. – Reszta zostaje tutaj. Akta zawierają sekrety, których nie zamierzam wam ujawniać.

Dwoje złowrogich przybyszów ze śmiechem weszło za Olafem i Esmeraldą do namiotu, zamykając za sobą klapę. Słoneczko, Hugo, Kevin, Colette i obie bladolice przez chwilę stali i patrzyli za nimi w milczeniu, czekając, aż rozwieje się przytłaczająca aura zagrożenia.

– Co to byli za ludzie? – wyrwał ich z zadumy hakoręki, który wrócił właśnie z wyprawy na ryby. Na każdym haku miał zawieszone po cztery pstrągi, ociekające wodą z Padłego Potoku.

– Pojęcia nie mam – odparła jedna z bladolicych. – Ale bardzo mnie zdenerwowali.

– Jeśli to przyjaciele Hrabiego Olafa, to ciekawe, jak bardzo mogą być źli? – zastanowił się Kevin.

Członkowie trupy spojrzeli po sobie, ale nikt nie udzielił odpowiedzi na pytanie kolegi.

– Co ten gość miał na myśli, mówiąc: „Nie ma dymu bez ognia?" – zasępił się Hugo. – Pojęcia nie mam – odparła Colette.

Powiał chłodny wiatr i Słoneczko przez chwilę obserwowało, jak ekwilibrystka z każdym podmuchem wygina ciało w spiralę niemal tak pokrętną, jak dym z zielonej tutki, porzuconej przez Esmeraldę na ziemi.

– Dość tych pytań – zarządził hakoręki. – Moje pytanie brzmi: jak zamierzasz przyrządzić te pstrągi, sieroto?

Sługus Olafa patrzył z góry na Słoneczko, ono jednak chwilę zwlekało z odpowiedzią. Słoneczko namyślało się, a brat i siostra byliby z niego dumni, gdyby znali tok jego myślenia. Klaus byłby dumny, że Słoneczko rozważa znaczenie przysłowia: „Nie ma dymu bez ognia". A Wioletka byłaby dumna, że siostrzyczka zastanawia się nad wynalazkiem, który pomógłby jej przyrządzić pstrągi, dostarczone przez hakorękiego. Gapiąc się na hakorękiego i rozmyślając w pocie czoła, Słoneczko czuło niemal namacalną obecność rodzeństwa – miało wrażenie, że Klaus pomaga mu rozgryzać znaczenie przysłowia, a Wioletka – obmyślać wynalazek.

– Odpowiadaj, sieroto! – warknął hakoręki. – Co zrobisz dla nas z tych pstrągów?

– Loks! – odrzekło Słoneczko z taką pewnością, jakby wszystkie trzy sieroty Baudelaire wyrzekły to chórem.

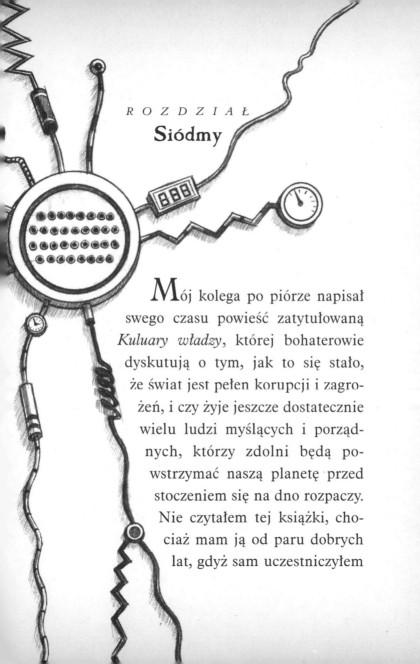

ROZDZIAŁ
Siódmy

Mój kolega po piórze napisał swego czasu powieść zatytułowaną *Kuluary władzy*, której bohaterowie dyskutują o tym, jak to się stało, że świat jest pełen korupcji i zagrożeń, i czy żyje jeszcze dostatecznie wielu ludzi myślących i porządnych, którzy zdolni będą powstrzymać naszą planetę przed stoczeniem się na dno rozpaczy. Nie czytałem tej książki, chociaż mam ją od paru dobrych lat, gdyż sam uczestniczyłem w licznych dyskusjach o tym, jak to się stało, że świat pełen jest korupcji i zagrożeń, i czy żyje jeszcze wystarczająco wielu ludzi myślących i porządnych, aby powstrzymać naszą planetę przed stoczeniem się na dno rozpaczy, więc nie potrzebowałem dodatkowych lektur na ten temat – niemniej jednak fraza „kuluary władzy" przyjęła się powszechnie na określenie sekretnych miejsc, w których zapadają decyzje w istotnych sprawach. Nawet gdy nie są to autentyczne kuluary, „kuluary władzy" kojarzą się z ciszą i tajemnicą. Jeśli zdarzyło wam się odwiedzić ważną instytucję – na przykład główną filię biblioteki albo gabinet dentystyczny, gdzie podjęto się przebrania dla niepoznaki waszych zębów – znacie zapewne uczucie, które towarzyszy człowiekowi w kuluarach władzy. Tego uczucia doświadczyli Wioletka i Klaus Baudelaire, gdy dotarli do końca Wertykalnego Zbiornika Sadzy i w ślad za skautem w swetrze wyczołgali się z sekretnego przejścia. Nawet przez maski poczuli, że są w jakimś bardzo ważnym miejscu, chociaż

miejscem tym był mroczny, kręty korytarz z niewielką kratką w sklepieniu, przez którą wpadało
do środka światło dzienne.

– Tędy właśnie ulatnia się dym z ogniska
Skautów Śnieżnych – szepnął tajemniczy skaut,
wskazując kratkę. – Otwór znajduje się w samym środku doliny pod Wielkim Zawianym
Szczytem, aby dym rozwiewał się natychmiast
na cztery strony świata. WZS nie chce bowiem,
aby ktokolwiek zauważył dym.

– Nie ma dymu bez ognia – zauważyła senten-
cjonalnie Wioletka.

– Ano właśnie – przytaknął jej skaut. – Każdy,
kto dostrzegłby dym tak wysoko w górach, mógłby nabrać podejrzeń i sprawdzić, skąd on pochodzi. Prawdę mówiąc, znalazłem urządzenie, które wykorzystuje tę właśnie zasadę.

Skaut wyciągnął z plecaka nieduże płaskie pudełko, pełne cienkich zielonych tutek, dokładnie
takich samych jak ta, którą mężczyzna z brodą,
ale bez włosów, ofiarował Esmeraldzie Szpetnej.

– Dziękuję, nie palę – powiedziała Wioletka.

– Ja też nie – zapewnił ją skaut. – Ale to nie są papierosy. To Wysokokaloryczne Zielone Sygnalizatory. „Wysokokaloryczne" znaczy: „wytwarzające wielką energię cieplną". Po zapaleniu wydzielają zielony dym, który innym wolontariuszom wskazuje miejsce naszego pobytu.

Klaus wziął pudełko od skauta i przyjrzał mu się w półmroku korytarza.

– Ja już widziałem takie pudełko – rzekł. – W biurku taty, kiedy szukałem noża do rozcinania kopert. Pamiętam, że bardzo mnie to zdziwiło, bo przecież tata nie palił.

– Trzymał je przed nami w sekrecie – powiedziała Wioletka. – Ciekawe dlaczego?

– Bo to jest ściśle tajna organizacja – powiedział skaut. – Z największym trudem poznałem sekretną lokalizację kwatery głównej.

– My też mieliśmy z tym kłopoty – przyznał Klaus. – Natrafiliśmy na nią na zaszyfrowanej mapie.

– Ja sam musiałem sporządzić sobie mapę – rzekł skaut, sięgając do kieszeni swetra. Zaświe-

cił latarkę i Baudelaire'owie zauważyli w jego ręku notes w ciemnofioletowej oprawie.

– Co to jest? – spytała Wioletka.

– To moja księga cytatów – wyjaśnił skaut. –
Zapisuję w niej wszystkie ważne i ciekawe rzeczy,
na jakie się natykam. W ten sposób trzymam
wszystkie istotne informacje w jednym miejscu.

– Powinienem i ja założyć sobie coś takiego –
stwierdził Klaus. – Kieszenie mi pękają od kar-
teluszków z notatkami.

– Na podstawie informacji zawartych w książce Doktora Montgomery'ego i paru innych źródłach – ciągnął skaut – naszkicowałem plan sytu-
acyjny tego miejsca. – Otworzył fioletowy notes
i przerzucił parę stron, zanim dotarł do nieduże-
go, lecz precyzyjnie naszkicowanego przekroju
jaskini, Wertykalnego Zbiornika Sadzy i korytarza, w którym właśnie się znajdowali. – Jak widzicie – przesunął palcem po rysunku – przejście
rozwidla się w pewnym momencie.

– Świetnie narysowany plan – pochwaliła
Wioletka.

– Dzięki – odparł skaut. – Od dość dawna pasjonuję się kartografią. Spójrzcie tutaj: jeśli pójdziemy lewą odnogą, wyjdziemy na niewielki magazyn sań i kombinezonów śnieżnych – tak przynajmniej wynika z artykułu, który czytałem na ten temat. Jeśli natomiast pójdziemy w prawo, to dojdziemy do Wejścia Zabezpieczonego Socjolektem, które powinno się otwierać wprost na kuchnię kwatery głównej. Może się więc zdarzyć, że zastaniemy całą organizację przy śniadaniu.

Baudelaire'owie spojrzeli na siebie przez maski, a Wioletka oparła dłoń na ramieniu brata. Nie śmieli głośno wyznać nadziei, że jedno z ich rodziców jest być może tuż-tuż.

– Ruszajmy – szepnęła Wioletka.

Skaut bez słowa kiwnął głową i poprowadził Baudelaire'ów korytarzem, w którym z każdym krokiem robiło się coraz zimniej. Oddalili się już tak znacznie od Bruce'a i reszty Skautów Śnieżnych, że nie było potrzeby mówić szeptem, lecz wyciszona atmosfera kuluarów władzy mimo wszystko skłaniała dzieci do milczenia, gdy

posuwały się półmrocznym, krętym korytarzem.
W końcu dotarły do wielkich, metalowych drzwi
z dziwnym urządzeniem zamiast klamki. Urządzenie przypominało nieco pająka o krętych,
rozpostartych na wszystkie strony odnóżach –
z tym, że pająk ten zamiast korpusu miał maszy-
nę do pisania. Zawsze ciekawa wynalazków Wioletka – chociaż tak jej było pilno zobaczyć kwaterę główną – nie oparła się chęci obejrzenia
aparatury z bliska.

– Tylko niczego nie ruszaj – powstrzymał ją
skaut w swetrze. – Zamek jest zaszyfrowany. Jeśli nie otworzymy go prawidłowo, nie dostaniemy się do kwatery głównej.

– Na jakiej zasadzie to działa? – spytała Wioletka, dygocąc lekko z zimna.

– Nie jestem pewien – odparł skaut, otwierając swój notes. – Nazwa Wejście Zabezpieczone
Socjolektem sugeruje...

– Że zasadą działania jest język – dokończył
Klaus. – Słowo „socjolekt" oznacza „żargon uży-
wany przez określoną grupę społeczną".

– No jasne! – zrozumiała Wioletka. – Spójrzcie: przewody oplatają zawiasy drzwi. Opadną
po wystukaniu na klawiaturze właściwego ciągu
liter. Liter alfabetu jest więcej niż cyfr, więc
trudniej będzie wpaść na odpowiednie kombi-
nacje.

– To samo wyczytałem w źródłach – potwierdził skaut, zerkając do notesu. – Należy wystukać trzy właściwe frazy, jedną po drugiej. Szyfry
są zmieniane co kwartał, więc wolontariusz, który chce korzystać z tych drzwi, musi mocno wy-
silać pamięć. Fraza pierwsza to nazwisko na-
ukowca uznanego powszechnie za odkrywcę
zjawiska grawitacji.

– To proste – powiedziała Wioletka i zaraz
wystukała: I-Z-A-A-C-N-E-W-T-O-N. Było to nazwisko fizyka, którego od dziecka podziwiała.
Gdy skończyła pisać, w klawiaturze coś cicho
kliknęło i urządzenie zaczęło się rozgrzewać.

– Fraza druga to łacińska nazwa specyficzne-
go gatunku stworzeń należących do Wolontariatu Zwierząt Szpiegowskich – powiedział skaut. –

Znalazłem ją w dziele *Osobliwości Gór Grozy*. Chodzi o *Panthera leo*. Nachylił się do klawiatury i wystukał: P-A-N-T-H-E-R-A-L-E-O. Rozległo się ciche buczenie i dzieci spostrzegły, że kable przy zawiasach zaczynają leciutko drżeć.

– Zaczyna się otwierać – powiedziała Wioletka. – Mam nadzieję, że zdążę przyjrzeć się lepiej temu urządzeniu.

– Najpierw dostańmy się do kwatery głównej – upomniał ją Klaus. – Czego dotyczy fraza trzecia?

Skaut westchnął i przewrócił kartkę swojej księgi cytatów.

– Tego właśnie nie jestem pewien. Ktoś z wolontariuszy mówił mi, że chodzi o główne przesłanie powieści Lwa Tołstoja *Anna Karenina*. Niestety, nie miałem okazji jej przeczytać.

Wioletka, chociaż nie widziała twarzy brata przez maskę, była pewna, że Klaus się uśmiechnął. Przypomniało jej się bowiem dawne lato, gdy Klaus był jeszcze bardzo mały, a Słoneczka w ogóle nie było na świecie. Na każde wakacje mama Baudelaire'ów zabierała grubą książkę, żartując sobie, że dźwiganie grubych książek to jedyny sport, który z chęcią uprawia w miesiącach letnich. Podczas tych wakacji, które teraz przypomniała sobie Wioletka, pani Baudelaire wybrała sobie na letnią lekturę *Annę Kareninę* – a Klaus, usadowiony na kolanach mamy, całymi godzinami towarzyszył jej przy czytaniu. Mały Baudelaire nie czytał jeszcze wówczas zbyt sprawnie, ale mama pomagała mu przebrnąć przez dłuższe słowa i od czasu do czasu przerywała lekturę, aby wyjaśnić synkowi przebieg akcji. Tym sposobem oboje, Klaus i mama, zapoznali się z historią pani Kareniny, którą ukochany potraktował tak niecnie, że rzuciła się pod pociąg.

Tego samego lata Wioletka studiowała pilnie prawa termodynamiki i budowała model helikoptera z trzepaczki do ubijania jaj i starego miedzianego drutu. Przypomniawszy sobie teraz to wszystko, była przekonana, że Klaus pamięta główne przesłanie powieści, którą studiował na kolanach mamy.

– Głównym przesłaniem powieści *Anna Kare-nina* – oświadczył Klaus – jest myśl, że sielski ży-wot, oparty na prostocie moralnej, jest mimo swojej monotonii wartościowszy od burzliwych uniesień, które zawsze kończą się tragedią.

– Dosyć długie to przesłanie – zauważył skaut.

– Bo to bardzo długa powieść – odparł Klaus. – Ale mogę je wystukać na maszynie bardzo szyb-ko. Swego czasu razem z siostrami wystukałem błyskawicznie długi telegram.

– Szkoda tylko, że telegram nie dotarł do adre-sata – mruknął cicho skaut w swetrze, czego jed-nak Klaus Baudelaire nie usłyszał, gdyż zajęty już był wystukiwaniem liter na klawiaturze Wej-ścia Zabezpieczonego Socjolektem. Gdy wpisy-wał słowa „sielski żywot", które tu oznaczają: „życie na wsi", kable zaczęły się pospiesznie skręcać i rozkręcać, jak dżdżownice na chodniku po deszczu, a zanim zdążył wstukać słowo „mo-notonii", które tu oznacza: „nudy", całe drzwi dygotały nerwowo, jakby były co najmniej tak przejęte sytuacją, jak Baudelaire'owie. Wreszcie

Klaus wstukał błyskawicznie słowo „T-R-A-G-E-
-D-I-Ą" i wszyscy troje cofnęli się o krok od
drzwi – te jednak, zamiast się otworzyć, przestały dygotać, kable znieruchomiały, a w całym ko-
rytarzu znów zapanowała martwa cisza.

– Nie otwierają się – rzekła z rozczarowaniem
Wioletka. – Może jednak nie taki jest główny
motyw powieści Lwa Tołstoja *Anna Karenina*?

– Kiedy wszystko szło prawidłowo, aż do
ostatniego słowa – zauważył skaut.

– Więc może mechanizm się zaciął? – wyraziła przypuszczenie Wioletka.

– Albo może burzliwe uniesienia kończą się
czymś innym? – zasugerował tajemniczy skaut
i trzeba stwierdzić, że w pewnych sytuacjach należałoby mu przyznać rację. Burzliwe uniesienia
to określenie stosujące się do ludzi, którzy podążają za głosem serca, tak jak inni podążają za
głosem rozumu, a jeszcze inni za głosem innych
ludzi albo za tajemniczym osobnikiem w granatowej pelerynie. Osoby skłonne do burzliwych
uniesień kończą bardzo różnie. Jeśli, na przy-

kład, wpadnie wam kiedyś w ręce książka pod
tytułem *Biblia*, znajdziecie w niej historię o Ada-
mie i Ewie, którzy z powodu burzliwego uniesienia musieli się po raz pierwszy w życiu ubrać, bo
wcześniej zawsze chodzili na golasa, a potem
opuścić swój rodzinny ogród, nawiedzany przez
podstępnego węża. Z kolei Bonnie i Clyde, inna
słynna para skłonna do burzliwych uniesień,
zrobiła dzięki temu zawrotną – aczkolwiek krót-
ką – karierę w dziedzinie rabowania banków.
Mnie osobiście rzadkie w moim życiu chwile
burzliwych uniesień przysparzały samych kłopotów – od fałszywych oskarżeń o podpalenie,
po rozerwane kajdanki, których nigdy nie udało
mi się naprawić. Jednak w przypadku Baudelaire'ów, którzy stali przed Wejściem Zabezpieczonym Socjolektem z nadzieją wejścia do kwatery głównej WZS, uratowania siostry i spraw-
dzenia, czy któreś z ich rodziców faktycznie żyje,
rację miał nie skaut w swetrze, lecz Klaus i Wioletka – gdyż istotnie, jak twierdził Klaus, w powieści Lwa Tołstoja *Anna Karenina* burzliwe

uniesienia doprowadziły wyłącznie do tragedii,
i rzeczywiście, jak podejrzewała Wioletka, mechanizm zabezpieczający lekko się zaciął. Toteż
po paru sekundach drzwi otwarły się na oścież,
z przeciągłym, złowrogim skrzypieniem. Dzieci
weszły do środka, mrużąc oczy przed nagłym
blaskiem – i zamarły z wrażenia tuż za pro-
giem. O ile doczytaliście żałosną historię Baudelaire'ów do tego miejsca, to nie zdziwi was wiadomość, że kwatery głównej WZS w dolinie pod
Wielkim Zawianym Szczytem w Górach Grozy
już nie było. Ale Wioletka z Klausem nie czytali,
rzecz jasna, swojej własnej historii, gdyż byli jej
bohaterami i w tym momencie akcji doznali szo-
ku na widok tego, co ukazało się ich oczom.

Wejście Zabezpieczone Socjolektem nie pro-
wadziło już do kuchni. Przekroczywszy próg
w ślad za tajemniczym skautem, Baudelaire'owie
stanęli na skraju czegoś, co przypominało rozległe pole uprawne porośnięte poczerniałym plo-
nem ruin, pośród doliny wielkiej i zawianej,
zgodnie z nazwą górującego nad nią szczytu.

Z wolna jednak zaczęli rozpoznawać zwęglone szczątki potężnej i wspaniałej zapewne budowli, która stała tu do niedawna. Przed resztkami piecyka leżały tu i ówdzie pojedyncze sztuki ocalałej z ognia srebrnej zastawy, a z boku stała lodówka, jakby strzegła dostępu do dalszej części spopielałej kuchni. Za lodówką po jednej stronie piętrzył się stos zwęglonego drewna – zapewne dawny wielki stół jadalny – z nadtopionym wieloramiennym świecznikiem, sterczącym pośrodku niczym młode drzewko. Nieco dalej ze zgliszczy wyłaniały się tajemnicze kształty innych ocalałych z pożaru przedmiotów – puzon, wahadło szafkowego zegara, coś, co z daleka przypominało peryskop albo małą lunetę, łyżka do nakładania lodów porzucona samotnie na kupie popiołów przysypanej spalonym cukrem oraz żeliwny łuk zwieńczony napisem „Biblioteka WZS", za którym piętrzyły się niezliczone stosy zwęglonych papierów. Widok był druzgocący – Wioletka z Klausem poczuli się tak, jakby zostali całkiem sami na kompletnie zrujnowanym świecie. Jedynym nietkniętym przez ogień obiektem w okolicy była biała ściana za lodówką, której szczyt Baudelaire'owie ledwo mogli dostrzec. Dopiero po dłuższej chwili uświadomili sobie, że jest to zamarznięty wodospad, który śliskim stokiem wiedzie do źródła Padłego Potoku na Górze Cug, jaśniejąc taką bielą, że zwęglone ruiny kwatery głównej wydawały się przy nim tym czarniejsze.

– Jak tu musiało być pięknie! – odezwał się drżącym głosem skaut w swetrze. Podszedł do wodospadu, każdym krokiem wzniecając obłok czarnego pyłu. – W tym miejscu, jak czytałem, było wielkie okno – zarysował okno w powietrzu odzianą w rękawicę dłonią. – Kto miał dyżur w kuchni, mógł podziwiać przez nie wodospad, siekając warzywa albo mieszając sos na wolnym ogniu. Podobno widok ten zapewniał błogi relaks. A tuż za oknem znajdował się mechanizm, który część wód z tego stawu zamieniał w parę wodną. Gęsty opar osłaniał szczelnie kwaterę główną, czyniąc ją niewidoczną dla postronnych.

Baudelaire'owie zbliżyli się do skauta, aby spojrzeć na zamarzły staw u stóp wodospadu. Miał on dwa odpływy – co tutaj znaczy: „dwie kręte odnogi rzeki lub potoku, z których każda okrążała ruiny kwatery głównej z innej strony i wiła się dalej doliną wśród Gór Grozy, aż wreszcie znikała z oczu". Wioletka z Klausem, śledząc smutnym wzrokiem czarnobure zawijasy lodowatej wody, spostrzegli w końcu odcinek, który przewędrowali wzdłuż Padłego Potoku.

– Więc to był popiół – szepnął Klaus. – Popiół z pożaru zasypał staw u stóp wodospadu i stamtąd spłynął potokiem w dół.

Wioletka wolała zająć się kwestią praktyczną, niż poddać uczuciu skrajnego rozczarowania.

– Przecież staw jest całkiem zamarznięty – zauważyła. – Niemożliwe, że to stąd popioły dostały się do potoku.

– W czasie pożaru lód na stawie na pewno stopniał – odparł Klaus.

– To musiał być straszny widok – westchnął skaut w swetrze.

Na te słowa Wioletka z Klausem wyobrazili sobie inferno, co tu oznacza: „nieposkromiony pożar, który zniszczył tajną kwaterę główną ulokowaną wysoko w górach". Słyszeli niemal brzęk tłukących się szyb z wypadających okien i trzask płomieni, pochłaniających wszystko, co spotkały na swej drodze. Czuli niemal gęsty swąd bijącego w górę dymu, od którego czerniało niebo. Widzieli niemal książki spadające z płonących regałów i rozsypujące się w popiół. Nie umieli sobie jedynie wyobrazić ludzi, którzy byli obecni w kwaterze głównej w chwili wybuchu pożaru, i uciekali przed straszliwym ogniem w straszliwy ziąb.

– Czy sądzisz – spytała z lękiem Wioletka – że ktoś z wolontariuszy...

– Nigdzie nie widać śladów ludzkiej obecności – uspokoił ją pospiesznie skaut.

– Skąd ta pewność? – spytał Klaus. – Może ktoś jednak ocalał w tym rumowisku?

– Hop-hop! – zawołała Wioletka, rozglądając się po ruinach. – Hop-hop?

Łzy zakręciły jej się w oczach, gdyż w głębi serca czuła, że nawołuje osoby, których na pewno nie ma nigdzie w pobliżu. Miała wrażenie, że nawołuje te osoby stale, od owego strasznego dnia na plaży, wciąż mając nadzieję, że jeśli zawoła jeszcze raz – one jednak się pojawią. Przypomniało jej się, jak przywoływała je, gdy mieszkali jeszcze całą rodziną w willi Baudelaire'ów. Czasem wzywała je po to, by im pokazać swój nowy wynalazek. Czasem po to, żeby dać im znać, że właśnie wróciła do domu. A czasem tylko po to, żeby sprawdzić, gdzie akurat się znajdują. Czasem chciała po prostu zobaczyć te osoby i upewnić się, że jest bezpieczna, bo są w pobliżu. „Mamo!" – wołała wtedy, albo: „Tato!".

Nikt nie odpowiadał.

– Mamo! – zawołał Klaus. – Tato!

Odpowiedziało mu jedynie wycie wiatrów, omiatających dolinę z czterech stron świata, i przeciągłe skrzypienie Wejścia Zabezpieczonego Socjolektem, które zatrzasnęło się od silnego podmuchu. Baudelaire'owie dopiero wtedy zauważyli, że drzwi imitują do złudzenia powierzchnię skały – teraz nie wiedzieli już ani skąd przybyli, ani którędy mogą zawrócić. Teraz dzieci zostały naprawdę same.

– Wszyscy mieliśmy nadzieję znaleźć pewne osoby w kwaterze głównej – powiedział cicho skaut w swetrze. – Ale najwyraźniej nikogo tu nie ma. Zostaliśmy chyba całkiem sami.

– To niemożliwe! – krzyknął Klaus i Wioletka poznała po jego głosie, że płacze. Klaus poszperał gorączkowo w warstwach ubrania, aż dogrzebał się do kieszeni i wyciągnął z niej stronę trzynastą akt Snicketa, z którą nie rozstawał się, odkąd Baudelaire'owie znaleźli ją w Szpitalu Schnitzel. Na tej stronie było zdjęcie ich rodziców z Jacques'em Snicketem i jeszcze jednym panem, którego Baudelaire'owie nie zdołali zidentyfikować, a nad zdjęciem figurował napis, który Klaus znał już na pamięć, bo czytał go niezliczoną ilość razy:

– „Na podstawie dowodów opisanych szczegółowo na str. 9 eksperci przychylają się do opinii, że z pożaru przypuszczalnie ocalała jedna osoba, lecz miejsce jej aktualnego pobytu jest nieznane" – wyrecytował przez łzy. Podszedł do skauta i podsunął mu kartkę pod nos: – Myśleliśmy, że znajdziemy tę osobę tutaj.

– I chyba mieliście rację – odparł cicho skaut, zdejmując maskę i odsłaniając wreszcie twarz. – Jestem Quigley Bagienny. Ocalałem z pożaru, który strawił mój dom, i miałem nadzieję, że znajdę tu swojego brata i siostrę.

Jedną z osobliwości ludzkiego życia jest to, że wypowiadamy pewne kwestie, chociaż wiemy, że całkowicie mijają się one z prawdą. Na przykład, na pytanie „Jak się masz?" odpowiadamy automatycznie: „Dziękuję, świetnie" – nawet jeśli przed chwilą oblaliśmy egzamin albo stratował nas wół. Albo mówimy: „Przewróciłem cały dom do góry nogami w poszukiwaniu tych kluczy" – chociaż tak naprawdę szukaliśmy ich tylko w paru miejscach. Ja osobiście powiedziałem kiedyś ukochanej kobiecie: „Jestem pewien, że nasze kłopoty szybko się skończą i będziemy żyć razem długo i szczęśliwie" – a przecież mówiąc to podejrzewałem, że będzie źle i coraz gorzej.

Podobnie było z dwojgiem starszych Baudelaire'ów, którzy, stanąwszy oko w oko z Quigleyem Bagiennym, wypowiadali kwestie tak absurdalne, że sami się sobie dziwili.

– Przecież ty nie żyjesz – powiedziała Wioletka, zdejmując maskę, żeby widzieć skauta wyraźniej. Bez wątpienia stał przed nią Quigley Bagienny, chociaż Baudelaire'owie nigdy wcześniej go nie widzieli. Był tak uderzająco podobny do Duncana i Izadory, że nie mógł być nikim innym jak tylko ich brakującym trojaczkiem.

– Przecież zginąłeś w pożarze domu, razem z rodzicami – dodał Klaus, ale zanim zdążył zdjąć maskę, sam już nie wierzył w to, co przed chwilą powiedział. Nawet uśmieszek Quigleya był identyczny jak uśmiechy Izadory i Duncana.

– Nie zginąłem – zapewnił go Quigley. – Ocalałem, i od tamtej chwili szukam swojego rodzeństwa.

– Ale jakim cudem ocalałeś? – spytała Wioletka. – Wiemy od Duncana i Izadory, że wasz dom
spłonął do szczętu.

– To prawda – westchnął Quigley, wpatrując
się w zamarznięty wodospad. – Może najlepiej
zacznę od początku. Siedziałem w domowej bibliotece, studiując mapę Przebrzmiałej Puszczy,
gdy nagle usłyszałem brzęk tłuczonego szkła
i krzyki ludzi. Mama przybiegła po mnie, woła-
jąc, że się pali. Chcieliśmy wybiec z domu głów-
nymi drzwiami, ale korytarz był pełen dymu,
więc mama pociągnęła mnie z powrotem do biblioteki i uniosła róg dywanu. Zobaczyłem ukrytą pod nim klapę włazu do podziemia. Mama kazała mi tam zejść i poczekać, aż sprowadzi resztę
rodzeństwa. Zostałem sam w ciemności. Nad głową słyszałem trzask i huk rozpadającego się domu, paniczny tupot stóp, przerażone wrzaski brata i siostry. – Quigley położył maskę na ziemi
i spojrzał na Baudelaire'ów. – Ale mama nie wróciła. Nikt nie wrócił. A kiedy spróbowałem unieść
klapę – nie mogłem, bo coś ją przygniatało.

– Więc jak się wydostałeś? – spytał Klaus.

– Piechotą przez podziemie – odparł Quigley. – Gdy nabrałem pewności, że nikt mnie już nie wyratuje, pomacałem ściany dookoła i stwierdziłem, że znajduję się w jakimś tunelu. Mogłem iść tylko w jednym kierunku, więc poszedłem. Nigdy w życiu nie bałem się tak jak wtedy, posuwając się samotnie ciemnym tunelem, który rodzice trzymali przede mną w tajemnicy. Zupełnie nie umiałcm sobie wyobrazić, dokąd dojdę.

Baudelaire'owie spojrzeli po sobie. Przypomniał im się sekretny tunel, który odkryli również pod swoim domem, w czasie gdy pozostawali pod kuratelą Esmeraldy Szpetnej i jej męża.

– No i dokąd doszedłeś? – spytała Wioletka.

– Do domu pewnego herpetologa – odparł Quigley. – Tunel kończył się sekretnymi drzwiami, które otwierały się na ogromne pomieszczenie, całe ze szkła. Stało tam pełno pustych klatek, więc zaraz zrozumiałem, że kiedyś była to olbrzymia kolekcja gadów.

– Znamy to miejsce! – krzyknął zdumiony Klaus. – To był dom Wujcia Monty'ego, naszego opiekuna, do czasu, aż zjawił się tam Hrabia Olaf, przebrany za...

– Asystenta – dokończył za niego Quigley. – Wiem, wiem. Jego walizka jeszcze tam stała.

– Pod naszym domem też ciągnął się sekretny tunel – rzekła Wioletka – ale odkryliśmy go dopiero, mieszkając u Esmeraldy Szpetnej.

– A więc na każdym kroku tajemnice – podsumował Quigley. – Widocznie wszyscy rodzice mają swoje sekrety.

– Ale po co naszym albo waszym rodzicom był tunel, łączący ich dom z wytwornym apartamentowcem lub z willą herpetologa? – zastanowił się Klaus. – To nie ma sensu.

Quigley westchnął i odstawił plecak na zasypaną popiołem ziemię, tuż obok maski.

– Wiele rzeczy nie ma sensu – powiedział. – Miałem nadzieję, że ich wyjaśnienia znajdę tutaj, ale teraz już wątpię, czy w ogóle je znajdę. – Wydobył fioletowy notes i otworzył go na pierwszej stronie. – Mogę jedynie podzielić się z wami tym, co zapisałem w swojej księdze cytatów.

Klaus uśmiechnął się do niego znacząco i wyciągnął z kieszeni wszystkie zapiski, które zdołał tam zgromadzić.

– Ty nam powiesz, co wiesz, a potem my tobie powiemy, co wiemy. Może do spółki rozwiążemy parę problemów.

Quigley kiwnął głową na zgodę i wszyscy troje usiedli twarzami do siebie na tym, co kiedyś było kuchenną podłogą. Quigley rozpiął plecak i wyjął z niego torebkę solonych migdałów, którymi podzielił się z Baudelaire'ami.

– Na pewno jesteście strasznie głodni po wspinaczce Wertykalnym Zbiornikiem Sadzy. W każdym razie ja muszę coś przegryźć. Na czym to stanąłem?

– Na Gabinecie Gadów – przypomniała mu Wioletka. – Do którego prowadził tunel spod twojego domu.

– No właśnie. Nic się tam nie działo – podjął wątek Quigley. – Na progu domu leżał nowy nu-

mer „Dziennika Punctilio", z artykułem o pożarze. W ten sposób dowiedziałem się o śmierci rodziców. Nie pamiętam, ile dni tam spędziłem
całkiem sam. Było mi bardzo smutno, bałem się
i zupełnie nie wiedziałem, co robić. Chyba liczyłem na to, że herpetolog przyjdzie do pracy, okaże się przyjacielem moich rodziców i zechce mi
pomóc. W kuchni było pełno jedzenia, więc nie
cierpiałem z głodu, a spać kładłem się w hallu
pod schodami, żeby usłyszeć każdego, kto będzie wchodził.

Baudelaire'owie ze zrozumieniem pokiwali
głowami, a Wioletka w geście solidarności oparła dłoń na ramieniu Quigleya.

– Z nami było tak samo – powiedziała – gdy
dostaliśmy wiadomość o śmierci rodziców. Właściwie nie pamiętam, co wtedy robiliśmy i mówi-
liśmy.

– Ale czy nikt cię nie szukał? – spytał Quigleya Klaus.

– W „Dzienniku Punctilio" napisali, że i ja
poniosłem śmierć w pożarze. Ten sam artykuł

donosił, że moją siostrę i brata oddano do Szkoły Powszechnej imienia Prufrocka, a majątek rodziców przeszedł pod zarząd szóstej najważniejszej doradczyni finansowej miasta.

– Esmeraldy Szpetnej – uściślili Baudelaire'owie unisono, co tu oznacza: „z wielkim niesmakiem i dokładnie w tej samej chwili".

– Zgadza się – przyznał Quigley. – Ale mnie to nie interesowało. Zależało mi tylko na dotarciu do Szkoły Powszechnej imienia Prufrocka i odszukaniu rodzeństwa. Przewertowałem atlas z biblioteki Doktora Montgomery'ego i znalazłem w nim adres szkoły. Nie mieściła się zbyt daleko, więc spenetrowałem dom, gromadząc sprzęt i prowiant na wyprawę.

– A nie pomyślałeś o zawiadomieniu władz? – spytał Klaus.

– Jakoś nie. Najwidoczniej nie rozumowałem zbyt jasno. Myślałem wyłącznie o odnalezieniu rodzeństwa.

– To oczywiste – zapewniła go Wioletka. – A co było potem?

– Potem ktoś mi przeszkodził – rzekł Quigley. – Ktoś wszedł nagle do domu, akurat gdy chowałem atlas do plecaka. To był Jacques Snicket, którego, rzecz jasna, jeszcze wtedy nie znałem. Za to on znał mnie i bardzo się ucieszył, widząc, że jednak żyję.

– Skąd wiedziałeś, że możesz mu ufać? – spytał Klaus.

– Po pierwsze, znał sekretny tunel – odparł Quigley. – Poza tym, wiedział całkiem sporo o mojej rodzinie, chociaż rodziców moich nie widywał od lat. No i...

– No i...? – powtórzyła Wioletka.

Quigley uśmiechnął się do niej.

– No i był bardzo oczytany. A do domu doktora Montgomery'ego przybył, jak się okazało, właśnie po to, aby jeszcze coś przeczytać. Twierdził, że gdzieś w tym domu są ukryte ważne akta, więc zatrzyma się tam na parę dni, aby zakończyć swoje dochodzenie.

– Więc nie zawiózł cię do szkoły? – upewniła się Wioletka.

– Radził mi w ogóle się nie pokazywać, bo to niebezpieczne – powiedział Quigley. – Przyznał się, że jest członkiem pewnej tajnej organizacji, do której należeli również moi rodzice.

– WZS – uściślił Klaus, a Quigley potakująco skinął głową.

– Duncan i Izadora też próbowali nam coś powiedzieć o WZS – dodała Wioletka – ale nie mieli okazji. Nie wiemy nawet, co oznacza ten skrót.

– Zdaje się, że oznacza on mnóstwo rzeczy – odparł Quigley, kartkując notes. – Prawie wszystko, z czego korzysta organizacja, od Wolontariatu Zwierząt Szpiegowskich po Wejście Zabezpieczone Socjolektem, nosi te same inicjały.

– Ale jak się nazywa sama organizacja? – spytała Wioletka. – Co to jest WZS?

– Jacques nie chciał mi tego zdradzić – odrzekł Quigley – ale podejrzewam, że skrót ten oznacza Wolontariat Zapalonych Strażaków.

– Wolontariat Zapalonych Strażaków – powtórzyła powoli Wioletka, patrząc na brata. – A cóż to takiego?

– W niektórych społeczeństwach – wyjaśnił Klaus – nie ma zawodowej straży pożarnej, więc pożary gaszą tam ochotnicy.

– Tyle sama wiem – odparła Wioletka. – Ale co to ma wspólnego z naszymi rodzicami, Hrabią Olafem i wszystkim, co nas spotkało? Dotąd zdawało mi się, że rozszyfrowanie tego skrótu wyjaśni całą naszą tajemnicę, a tymczasem zagadka jak była, tak jest.

– Myślisz, że nasi rodzice zajmowali się w tajemnicy gaszeniem pożarów? – spytał Klaus.

– Nawet jeśli, to czemu trzymaliby to w tajemnicy? – odpowiedziała pytaniem Wioletka. – I na co byłby im potrzebny sekretny tunel pod domem?

– Jacques twierdził, że tunele pobudowali członkowie organizacji – rzekł Quigley. – Aby w razie alarmu uciec nimi w jakieś bezpieczne miejsce.

– Tylko że nasz tunel prowadził do domu Esmeraldy Szpetnej – zauważył Klaus. – A to na pewno nie jest bezpieczne miejsce.

– Coś się w pewnym momencie wydarzyło – powiedział Quigley. – Coś, co radykalnie zmieniło sytuację. – Przerzucił kolejnych parę stron notesu, aż natrafił na poszukiwany fragment: – Jacques Snicket nazwał to „schizmą". Ale ja nie wiem, co to słowo znaczy.

– Schizma – objaśnił Klaus – oznacza rozpad jednolitego ugrupowania na dwie lub więcej zwalczających się frakcji. To coś w rodzaju wielkiej kłótni, w której każdy opowiada się po innej stronie.

– To by się zgadzało – przyznał Quigley. – Z tego co mówił Jacques, cała organizacja popadła w chaos. Wolontariusze, którzy dawniej działali zgodnie, teraz są dla siebie wrogami. Miejsca dawniej bezpieczne stały się niebezpiecznymi pułapkami. A obie frakcje wciąż używają tych samych szyfrów i tych samych przebrań. Insygnia WZS oznaczały niegdyś wspólne szlachetne ideały – ale teraz wszystko poszło z dymem.

– Ale jak doszło do schizmy? – spytała Wioletka. – Co wywołało tak wielki spór?

– Nie wiem – rzekł Quigley. – Jacques nie miał czasu, żeby mi to wszystko wyjaśnić.

– Czym był zajęty? – zainteresował się Klaus.

– Szukaniem was – odparł Quigley. – Pokazał mi zdjęcie całej waszcj trójki, zrobione na przystani nad jakimś jeziorem, i pytał, czy przypadkiem was nie spotkałem. Wiedział, że oddano was pod opiekę Hrabiego Olafa i że mieliście w związku z tym mnóstwo strasznych przeżyć. Wiedział też, że przez jakiś czas mieszkaliście u Doktora Montgomery'ego. Znał niektóre twoje wynalazki, Wioletko, znał pasję naukową Klausa i wyczyny, jakich dokonywało Słoneczko za pomocą zębów. Chciał was znaleźć, zanim będzie za późno.

– Za późno na co? – spytała Wioletka.

– Nie wiem – westchnął Quigley. – Jacques dość długo przebywał w domu Doktora Montgomery'ego, ale przez cały czas był zbyt pochłonięty swoim dochodzeniem, aby wyjaśniać mi wszystkie szczegóły. Czasami czytał całą noc i przepisywał informacje do notesu, a potem w dzień odsypiał albo znikał gdzieś na wiele godzin. Nagle któregoś dnia oświadczył, że wyjeżdża do miasteczka Paltryville, aby przeprowadzić z kimś wywiad – i nigdy już nie wrócił. Czekałem na niego tygodniami. Dla zabicia czasu czytałem książki z biblioteki Doktora Montgomery'ego i zacząłem prowadzić własną księgę cytatów. Z początku trudno było trafić na jakiekolwiek informacje o WZS, ale notowałem wszelkie inne ciekawostki. Przeczytałem w ten sposób setki książek – a Jacques wciąż nie wracał. Wreszcie pewnego ranka zdarzyły się dwie rzeczy, które przekonały mnie, abym dalej nie czekał. Pierwszą był artykuł w „Dzienniku Punctilio" o porwaniu mojego rodzeństwa ze Szkoły Prufrocka. Zrozumiałem, że muszę działać, nie czekając dłużej ani na Jacques'a Snicketa, ani na nikogo innego.

Baudelaire'owie z powagą pokiwali głowami.

– A ta druga rzecz? – spytała Wioletka.

Quigley przez chwilę nie odpowiadał, tylko dłonią odzianą w rękawicę zgarnął garść popiołów i pozwolił im opaść z powrotem na ziemię.

– Poczułem dym – powiedział wreszcie. –
A kiedy otworzyłem drzwi do Gabinetu Gadów,
okazało się, że ktoś wrzucił pochodnię przez
świetlik w suficie i podpalił bibliotekę. W ciągu
paru minut cały dom stanął w płomieniach.

– Ach tak – szepnęła Wioletka. „Ach tak" znaczy na ogół coś w sensie: „Słyszę, co mówisz, ale
specjalnie mnie to nie interesuje" – w tym jednak przypadku najstarsza z Baudelaire'ów miała na myśli coś zgoła innego. „Ach tak" Wioletki
znaczyło: „Bardzo mi przykro, że dom Wujcia
Monty'ego spłonął". Ale odnosiło się zarazem do
czegoś więcej – do smutku z powodu wszystkich
pożarów, które przywiodły Quigleya, Klausa
i Wioletkę w Góry Grozy i kazały im biedzić się
wspólnie nad tajemnicą, która ich osaczała ze
wszystkich stron. Mówiąc „Ach tak", Wioletka
myślała nie tylko o pożarze w Gabinecie Gadów,
ale i o pożarach, które zniszczyły dom Baudelaire'ów, dom Bagiennych, Szpital Schnitzel,
Karnawał Kaligariego i kwaterę główną WZS, na
której zgliszczach siedziała oto trójka dzieci. Na

myśl o tych wszystkich pożarach Wioletka doznała przerażającego uczucia, że cały świat stanął w ogniu i że już nigdzie nie ma bezpiecznego miejsca dla niej samej, dla jej rodzeństwa i dla całej reszty porządnych ludzi na tej ziemi.

– Jeszcze jeden pożar – mruknął Klaus, a Wioletka poznała, że brat pomyślał o tym samym co ona. – No i dokąd się udałeś, Quigley?

– Jedynym miejscem, które przyszło mi do głowy, było Paltryville – odparł Quigley. – W ostatniej rozmowie Jacques powiedział mi, że tam się właśnie wybiera. Liczyłem więc na to, że jeszcze go tam zastanę i z jego pomocą uratuję może Duncana i Izadorę. Drogę znalazłem w atlasie Doktora Montgomery'ego, lecz iść musiałem pieszo, gdyż bałem się, że każdy, kto zechciałby mnie podwieźć, może okazać się wrogiem. Przeprawa trwała długo, ale gdy tylko wkroczyłem do miasteczka, spostrzegłem wielki budynek, który kształtem przypominał tatuaż na nodze Jacques'a Snicketa. Uznałem więc, że mogę tam bezpiecznie wejść.

– Klinika Doktor Orwell! – krzyknął Klaus. – To wyjątkowo niebezpieczne miejsce!

– Klaus został tam zahipnotyzowany – wyjaśniła Wioletka. – A w środku siedział Hrabia Olaf przebrany za...

– Recepcjonistkę – dokończył Quigley. – Wiem, wiem. Tabliczka z jego fałszywym nazwiskiem wciąż stała na biurku. Klinika była opuszczona, ale poznałem ślady obecności Jacques'a: na tym samym biurku leżały notatki sporządzone jego charakterem pisma. Dzięki tym notatkom i informacjom uzyskanym w bibliotece Doktora Montgomery'ego dowiedziałem się o kwaterze głównej WZS. Zamiast więc czekać dalej na Jacques'a Snicketa, wyruszyłem na poszukiwanie organizacji. Uznałem, że to moja największa szansa na uratowanie rodzeństwa.

– I podjąłeś samotną wyprawę w Góry Grozy? – zdumiała się Wioletka.

– Nie całkiem samotną – odrzekł Quigley. – Miałem z sobą ten plecak, porzucony przez Jacques'a Snicketa, a w nim Wysokokaloryczne

Zielone Sygnalizatory i parę innych drobiazgów, oraz swoją księgę cytatów. A po jakimś czasie natknąłem się przypadkiem na Skautów Śnieżnych i wmieszałem się w ich grupę, doszedłszy do wniosku, że w ten sposób najszybciej dotrę na Górę Cug. – Quigley znów zajrzał w swoje notatki. – W dziale Osobliwości Gór Grozy, które przestudiowałem w bibliotece Doktora Montgomery'ego, znalazłem ukryty rozdział, informujący o Wertykalnym Zbiorniku Sadzy i Wejściu Zabezpieczonym Socjolektem.

Klaus zajrzał koledze przez ramię i przebiegł wzrokiem zapiski.

– Szkoda – powiedział, kręcąc głową – że sam nie przeczytałem tej książki, gdy miałem po temu okazję. Gdybyśmy dowiedzieli się o WZS jeszcze u Wujcia Monty'ego, uniknęlibyśmy może wszystkich dalszych kłopotów.

– U Wujcia Monty'ego – przypomniała mu Wioletka – pochłaniała nas całkowicie ucieczka przed Hrabią Olafem. Nie mieliśmy czasu na dodatkowe badania źródłowe.

– Ja miałem na nie masę czasu – odparł Quigley. – A mimo to nie na wszystkie pytania uzy-
skałem odpowiedzi. Wciąż nie wiem, gdzie
znajdują się Duncan i Izadora ani co się stało
z Jacques'em Snicketem.

– Nie żyje – rzekł bardzo cicho Klaus. – Hrabia Olaf go zamordował.

– Obawiałem się tego – przyznał Quigley. –
Przeczuwałem, że stało się coś bardzo złego, kie-
dy Jacques nie wrócił. A co z moim rodzeństwem?
Wiecie może, jaki los spotkał Duncana i Izadorę?

– Są bezpieczni, Quigleyu – odparła Wioletka. – Tak przynajmniej nam się zdaje. Wyrwali-
śmy ich z łap Olafa i uciekli z naszym znajomym
imieniem Hektor.

– Uciekli? – powtórzył Quigley. – A dokąd?

– Tego nie wiemy – przyznał Klaus. – Hektor
skonstruował samowystarczalny balonowy dom.
Prawdziwy latający dom, utrzymywany w powietrzu przez zestaw balonów. Hektor twierdził,
że konstrukcja może tak bujać w niebie już na
zawsze.

– My też chcieliśmy tam wsiąść – dodała Wioletka – ale Hrabia Olaf nam przeszkodził.

– Więc nie wiecie, gdzie oni teraz są? – upewnił się Quigley.

– Niestety, nie – przyznała Wioletka i poklepała go po dłoni. – Ale Duncan i Izadora są twardzi, Quigleyu. Nawet tkwiąc w szponach Olafa prowadzili notatki o jego niecnych planach i znajdowali sposoby na przekazywanie nam informacji.

– Wioletka ma rację – potwierdził Klaus. – Jestem pewien, że gdziekolwiek teraz są, nadal prowadzą badania. W końcu dowiedzą się, że żyjesz, i zaczną cię szukać, tak jak ty zacząłeś szukać ich.

Baudelaire'owie spojrzeli po sobie i zadrżeli. Rozmawiali, co prawda, o rodzinie Bagiennych, ale zdawało im się, że mówią o sobie.

– Wasi rodzice też na pewno was szukają, jeżeli żyją – powiedział Quigley, jakby czytał w myślach Baudelaire'ów. – I Słoneczko was szuka. Wiecie, gdzie ono teraz jest?

– Gdzieś w pobliżu – odparła Wioletka. – Więzi je Hrabia Olaf, a on też chciał znaleźć kwaterę główną.

– Może Olaf już tu był – rzekł Quigley, rozglądając się po rumowisku. – Może to on podpalił kwaterę?

– Nie sądzę – odparł Klaus. – Nie zdążyłby spalić całego ośrodka. Przez cały czas deptaliśmy mu po piętach. A poza tym, moim zdaniem, kwatera główna nie spłonęła za jednym zamachem.

– Czemu tak sądzisz? – spytał Quigley.

– Za duży obiekt – odrzekł Klaus. – Gdyby płonęło wszystko naraz, dym zasnułby całe niebo.

– To fakt – przyznała Wioletka. – A to z kolei obudziłoby zbyt wielkie podejrzenia.

– Nie ma dymu bez ognia – powiedział Quigley.

Wioletka z Klausem odwrócili się, żeby mu przytaknąć, ale Quigley wcale na nich nie patrzył – patrzył gdzieś dalej, w stronę zamarzniętego stawu i dwóch zamarzniętych odpływów, widocznych niegdyś przez ogromne okno kuchni WZS, przy którym swego czasu osobiście siekałem brokuły, podczas gdy moja ukochana mieszała pikantny sos z fistaszkami. Quigley wskazywał palcem niebo, na którym wraz z towarzyszami śledziłem niegdyś loty orłów-wolontariuszy, zdolnych dostrzec dym z niesamowicie wielkich odległości.

Tego popołudnia na niebie nad Górami Grozy nie było orłów, lecz gdy Wioletka z Klausem wstali z ziemi i spojrzeli w kierunku wskazanym przez Quigleya, ujrzeli tam coś innego, co bardzo ich zaciekawiło. Albowiem Quigley Bagienny nie powiedział: „Nie ma dymu bez ognia” w związku z teorią Klausa o sposobie zniszczenia kwatery głównej WZS. Powiedział to w związku ze smugą zielonego dymu, wijącą się pod niebo ze szczytu Góry Cug, z samej krawędzi zlodowaciałego zbocza.

Baudelaire'owie trwali chwilę w milczeniu obok Quigleya, obserwując niewielki pióropusz – co tu oznacza: „tajemniczą smugę zielonego dymu". Wysłuchawszy długiej, osobliwej historii Quigleya o tym, jak przeżył pożar i natrafił na ślad WZS, nie mogli wprost uwierzyć, że stoją oto wobec kolejnej tajemnicy.

– To Wysokokaloryczny Zielony Sygnalizator – wyjaśnił Quigley. – Ktoś jest na szczycie i wysyła do nas sygnał.

– Tak, tylko kto? – odezwała się Wioletka.

– Może to wolontariusz, któremu udało się zbiec z pożaru – powiedział Klaus. – Sygnalizuje, żeby sprawdzić, czy w okolicy nie ma więcej wolontariuszy.

– A może to pułapka – zauważył ostrożnie Quigley. – Ktoś chce zwabić wolontariuszy na szczyt, żeby ich pojmać. Pamiętajcie, że oba odłamy schizmy używają tych samych kodów WZS.

– To mi nie wygląda na żaden kod – stwierdziła Wioletka. – Wiemy, że ktoś coś komunikuje, ale nie mamy pojęcia ani kto, ani co.

– Przypuszczam, że tak się czują ludzie nieznający bliżej Słoneczka, kiedy ono coś do nich mówi – rzekł Klaus.

Na dźwięk imienia siostrzyczki oboje starsi Baudelaire'owie poczuli, jak bardzo za nią tęsknią.

– Czy to wolontariusz, czy pułapka – oświadczyła mężnie Wiloletka – może to być jedyna nasza szansa na odnalezienie siostry.

– Albo mojej siostry i brata – dodał Quigley.

– Odpowiedzmy na sygnał – zdecydował Klaus. – Quigley, czy masz jeszcze te Wysokokaloryczne Zielone Sygnalizatory?

– Naturalnie – rzekł Quigley, wyciągając z plecaka pudełko zielonych tutek. – Niestety, Bruce zobaczył u mnie zapałki i skonfiskował je, bo dzieci nie powinny bawić się zapałkami.

– Skonfiskował? – zdziwił się Klaus. – Uważasz, że Bruce jest wrogiem WZS?

– Gdyby każdy, kto twierdzi, że dzieci nie powinny się bawić zapałkami, był wrogiem WZS – uśmiechnęła się Wioletka – nie mielibyśmy żadnych szans przeżycia.

– Ale jak podpalimy sygnalizator bez zapałek? – zmartwił się Quigley.

Wioletka sięgnęła do kieszeni. Niełatwo było związać włosy wstążką w podmuchach czterech wiatrów omiatających z wszystkich stron dolinę pod Wielkim Zawianym Szczytem, ale w końcu najstarsza z Baudelaire'ów odgarnęła włosy z oczu, a trybiki i dźwignie jej wynalazczego umysłu ochoczo ruszyły do pracy, gdy przyjrzała się uważnie tajemniczemu sygnałowi z lodowego szczytu.

A sygnał nie oznaczał ani obecności wolontariusza, ani pułapki. Oznaczał obecność niemowlęcia z wyjątkowo dużymi zębami, wypowiadającego się w sposób nie dla wszystkich zrozumiały. Gdy, na przykład, Słoneczko Baudelaire powiedziało „loks", członkowie trupy Olafa wzięli to za zwykłe gaworzenie, a nie za informację o tym, w jaki sposób Słoneczko zamierza przyrządzić pstrąga złowionego przez hakorękiego. Słowo „loks" odnosi się bowiem do świeżo wędzonej ryby, wyjątkowo pysznej, zwłaszcza gdy dysponuje się odpowiednimi składnikami towarzyszącymi, co tu oznacza: „bagietki, twarożek, ogórek w plasterkach, czarny pieprz i kapary, dzięki którym potrawa zwana loks stanowi rozkosz dla podniebienia". Loks ma ponadto tę zaletę, że podczas jego przyrządzania wytwarza się sporo dymu – dlatego właśnie Słoneczko wybrało ten przepis, zamiast szykować pstrąga w marynacie, którego trzyma się przez parę dni w sosie zaprawionym przyprawami korzennymi, lub *sashimi* – małe kawałki ryby serwowane po prostu na surowo. Pamiętając słowa Hrabiego Olafa o tym, że ze szczytu, na którym się znaleźli, widać wszystko i wszystkich w okolicy, najmłodsza z sierot Baudelaire uznała, że przysłowie „nie ma dymu bez ognia" może być jej pomocne. Podczas gdy u stóp lodowego zbocza Wioletka z Klausem słuchali nadzwyczajnej historii Quigleya, Słoneczko w pośpiechu szykowało loks, wysyłając sygnał rodzeństwu z nadzieją, że znajduje się ono gdzieś w pobliżu. Najpierw wepchnęło Wysokokaloryczny Zielony Sygnalizator – który, jak zresztą wszyscy obecni na Górze Cug, uważało za papierosa – w niewielką kupkę wyschłych chwastów, aby zwiększyć kłąb dymu. Następnie przyciągnęło tam naczynie żaroodporne z pokrywą, które ubiegłej nocy służyło mu za prowizoryczne łóżko, i umieściło w środku pstrąga. Wkrótce ryba złowiona przez hakorękiego zaczęła wchłaniać ciepło i dym z kopcącej się zielonej tutki, a w niebo nad Górą Cug wzniósł się imponujący pióropusz zielonych oparów. Słoneczko podniosło wzrok na wyprodukowany przez siebie sygnał i uśmiechnęło się mimo woli. Ostatnim razem, gdy zostało oddzielone od rodzeństwa, umiało tylko czekać bezradnie w ptasiej klatce, aż Klaus z Wioletką przybędą je uwolnić. Od tamtej pory jednak podrosło i stało się zdolne do aktywnego uczestnictwa w walce z Hrabią Olafem i jego trupą, znajdując w dodatku czas na przyrządzanie dań rybnych.

– Coś bardzo pysznie pachnie – zauważyła jedna z bladolicych, mijając naczynie żaroodporne. – Przyznam, że miałam pewne wątpliwości w związku z powierzeniem obowiązków kulinarnych niemowlęciu, ale wygląda na to, że pstrąg przyrządzony według twojego przepisu będzie całkiem smaczny.

– Ten przepis ma swoją nazwę – wtrącił hakoręki – tylko nie pamiętam, jak ona brzmi.

– Loks – podpowiedziało Słoneczko, ale nikt go nie usłyszał z powodu wrzasków Olafa, który wypadł jak burza ze swojego namiotu, a za nim Esmeralda i dwoje złowrogich przybyszów. Olaf trzymał w garści akta Snicketa i strasznym wzrokiem gromił z góry Słoneczko, a oczy błyszczały mu niesamowicie.

– Natychmiast zduś ten dym! – rozkazał. – Myślałem, że mam do czynienia z porwaną sierotą, która umiera ze strachu, ale zaczynam podejrzewać, że ty jesteś szpiegiem!

– O co ci chodzi, Olafie? – zdziwiła się druga bladolica. – Mała tylko wędzi dla nas rybę w dymie papierosa Esmeraldy.

– Ktoś może zobaczyć ten dym – warknęła Esmeralda, jakby sama przed chwilą nie paliła rzekomego papierosa. – A nie ma dymu bcz ognia.

Mężczyzna z brodą, ale bez włosów, nabrał w garść śniegu i cisnął nim w dymiące chwasty, gasząc Wysokokaloryczny Zielony Sygnalizator.

– Do kogo wysyłasz sygnały dymne, paskudny niemowlaku? – spytał dziwnie schrypniętym głosem. – Jeżeli jesteś szpiegiem, strącimy cię zaraz z tej góry.

– Gu-gu – odpowiedziało Słoneczko, komunikując coś w sensie: „Zamiast ci odpowiadać, wolę udać bezbronne niemowlę".

– No widzicie? – odezwała się bladolica, zerkając trwożnie na mężczyznę z brodą, ale bez włosów. – To przecież tylko bezbronne niemowlę.

– Może i ma pani rację – przyznała kobieta z włosami, ale bez brody. – Uważam zresztą, że nie należy strącać niemowląt z góry, o ile nie jest to absolutnie konieczne.

– Niemowlęta bywają przydatne – zawtórował jej Hrabia Olaf. – Szczerze mówiąc, od pewnego czasu mam ochotę zwerbować więcej młodzieży do swojej trupy. Młodzi przynajmniej nie będą się bez przerwy skarżyć na moje metody.

– Ależ my się wcale nie skarżymy – zaprotestował hakoręki. – Ja zawsze staram się być do usług szefa.

– Dość pogaduszek – przerwał mu mężczyzna z brodą, ale bez włosów. – Trzeba knuć nowe plany, Olafie. Posiadam pewne dane, które mogą ci ułatwić nową akcję rekrutacyjną. Co więcej, z akt Snicketa wynika, że istnieje jeszcze jedno bezpieczne miejsce, w którym mogli się schronić wolontariusze.

– Ich ostatnia bezpieczna kryjówka – dodała złowroga kobieta. – Musimy ją znaleźć i spalić.

– A wtedy – powiedział Olaf – zniszczymy ostatnie dowody przeciwko sobie i nikt nie będzie się mógł do nas przyczepić.

– Gdzie się mieści ta ostatnia bezpieczna kryjówka? – spytał Kevin.

Olaf już otworzył usta, żeby mu odpowiedzieć, lecz kobieta z włosami, za to bez brody, powstrzymała go gwałtownym gestem, zerkając podejrzliwie w dół na Słoneczko.

– Nie przy tej zębatej sierocie – zadudniła strasznie grubym basem. – Gdyby się dowiedziała, co knujemy, już nigdy więcej nie zmrużyłaby oka, a przecież służba niemowlęca powinna być zawsze dziarska i wypoczęta. Każ jej odejść, to przystąpimy do omówienia planów.

– Oczywiście – rzekł Olaf, uśmiechając się nerwowo do złowrogich przybyszów. – Sieroto, idź do mojego samochodu i wydmuchaj z niego wszystkie okruchy po czipsach.

– Syzyf – powiedziało Słoneczko, komunikując coś w sensie: „To zadanie absolutnie niewykonalne". Ruszyło jednak swym niepewnym krokiem do samochodu, a rozweselona trupa Olafa obsiadła płaski głaz, aby wysłuchać szczegółów nowego planu. Mijając zimne resztki paleniska i naczynie żaroodporne z pokrywą, które i tej nocy miało posłużyć mu za łóżko, Słoneczko westchnęło z żalem, pewne, że jego sygnał nie został odebrany. Kiedy jednak dotarło do automobilu i spojrzało w dół zamarzniętego wodospadu, ujrzało coś wielce budującego – co tu oznacza: „identyczny zielony pióropusz dymu, snujący się od podnóża zbocza". Najmłodsze z Baudelaire'ów uśmiechnęło się na ten widok. – Rodzina! – mruknęło do siebie. Naturalnie, Słoneczko nie miało pewności, że to Wioletka z Klausem nadają do niego sygnał, ale taką miało nadzieję i nadzieja ta wystarczyła, aby poprawić mu humor. Otworzyło drzwi samochodu i zabrało się do zdmuchiwania z tapicerki okruchów, porozsiewanych tam przez Olafa i jego trupę.

Za to starsi Baudelaire'owie, którzy wraz z Quigleyem stali w dole zamarzniętego wodospadu, stracili sporo nadziei, gdy zielony dym nagle znikł ze szczytu góry.

– Ktoś zgasił Wysokokaloryczny Zielony Sygnalizator – stwierdził Quigley, trzymając bokiem zieloną tutkę, żeby nie nałykać się dymu. – Jak myślicie, co to znaczy?

– Pojęcia nie mam – westchnęła Wioletka. – Widocznie system nie działa.

– Jasne, że działa – zaprotestował Klaus. – Działa bez zarzutu. Zauważyłaś, że popołudniowe słońce odbija się od zamarzniętego wodospadu, a to poddało ci pomysł wykorzystania zasad konwergencji i refraksji światła – tak jak kiedyś na Jeziorze Łzawym, gdy walczyliśmy z pijawkami. Więc, posługując się lusterkiem Colette, skupiłaś promienie słoneczne, kierując je na końcówkę Wysokokalorycznego Zielonego

Sygnalizatora, który dzięki temu podpaliliśmy, wysyłając sygnał.

– Klaus ma rację – potwierdził Quigley. – Twój system działa bez zarzutu.

– Dzięki – rzekła Wioletka – ale mnie chodziło o system sygnalizacyjny, który nie działa. Nadal nie wiemy, kto jest na szczycie góry, czemu do nas sygnalizował i nagle przestał, a przede wszystkim – co ten sygnał miał oznaczać.

– Może i my powinniśmy teraz zgasić Wysokokaloryczny Zielony Sygnalizator? – zasugerował Klaus.

– Może – odparła Wioletka. – A może raczej powinniśmy wspiąć się na ten wodospad i sprawdzić, kto jest na szczycie.

Quigley zmarszczył brwi i otworzył swój notes.

– Na najwyższy szczyt Gór Grozy prowadzi tylko jeden szlak – powiedział. – Ten, którym pójdą Skauci Śnieżni. Musimy zawrócić przez Wejście Zabezpieczone Socjolektem i Wertykalnym Zbiornikiem Sadzy spuścić się z powrotem do jaskini Wolontariatu Zwierząt Szpiegowskich, tam dołączyć do skautów i odbyć razem z nimi długi marsz.

– To wcale nie jest jedyna droga na szczyt – uśmiechnęła się Wioletka.

– Ależ tak! – zapewnił ją Quigley. – Spójrz na mapę.

– A ty spójrz na wodospad – poradziła mu Wioletka, i cała trójka skierowała wzrok na lśniące zbocze.

– Chcesz powiedzieć... – zawahał się Klaus. – Chcesz powiedzieć, że umiałabyś wynaleźć coś, co pozwoli nam się wspiąć po tym zamarzniętym wodospadzie?

Wioletka znów wiązała włosy, żeby je odgarnąć z oczu, rozglądając się jednocześnie po ruinach kwatery głównej WZS.

– Przydałoby mi się ukulele, które wyniosłeś z barakowozu – rzekła do Klausa. – I tamten nadtopiony kandelabr, który widzę na stole.

Klaus wyjął ukulele z kieszeni płaszcza, podał je siostrze, a potem podszedł do osmalonego stołu po dziwny, nadtopiony obiekt.

– Jeśli nie potrzebujesz więcej mojej pomocy – powiedział – to przejrzałbym pozostałości biblioteki; może zachowały się tam jakieś dokumenty. Spróbujmy wykorzystać wszystko, co zostało z kwatery głównej.

– Świetny pomysł – pochwalił Quigley i sięgnął do plecaka. Wydobył z niego notes, bardzo podobny do swojego, tyle że w granatowej oprawie. – Mam zapasowy notatnik – rzekł do Klausa. – Może chciałbyś założyć własną księgę cytatów?

– Strasznie ci dziękuję – odparł Klaus. – Zanotuję w nim wszystko, co znajdę. Przyłączysz się do mnie?

– Raczej zostanę tutaj – odparł Quigley, zerkając na Wioletkę. – Sporo słyszałem o nadzwyczajnym talencie wynalazczym Wioletki Baudelaire i chętnie poobserwowałbym ją w akcji.

Klaus kiwnął głową i skierował się w stronę żelaznego łuku, stanowiącego wejście do zrujnowanej biblioteki. Wioletka zaś spłonęła rumieńcem i schyliła się po jeden z kilku widelców ocalałych z pożaru.

To jedna ze smutniejszych rzeczy w historii Baudelaire'ów, że Wioletka nigdy nie miała okazji poznać pana nazwiskiem C.M. Kornbluth, mojego towarzysza, który większość życia spędził i przepracował w dolinie pod Wielkim Zawianym Szczytem jako główny mechanik kwatery WZS. Pan Kornbluth był człowiekiem małomównym i skrytym, tak skrytym, że nikt właściwie nic o nim nie wiedział – ani skąd pochodzi, ani nawet co oznaczają litery C i M przed jego nazwiskiem. Najczęściej przesiadywał w swojej sypialni, pisząc dziwne opowiadania, albo smutnym wzrokiem wyglądał przez okno kuchni. Tylko jedno było w stanie rozruszać pana Kornblutha: uczeń o wybitnych zdolnościach technicznych. Jeżeli młody człowiek okazał zainteresowanie radarem głębinowym, pan Kornbluth zdejmował okulary i uśmiechał się. Jeżeli młoda dama przyniosła mu samodzielnie skonstruowany zszywacz do papieru – pan Kornbluth z entuzjazmem klaskał w dłonie. A jeśli para bliźniąt poprosiła go o pomoc w prawidłowym połączeniu sieci miedzianych przewodów – wyciągał z kieszeni papierową torebkę fistaszków i częstował wszystkich dookoła. Dlatego kiedy myślę o Wioletce Baudelaire, która, stojąc na zgliszczach kwatery głównej WZS, cierpliwie zdejmuje struny z ukulele i zgina wpół widelce – wyobrażam sobie pana Kornblutha (chociaż ani jego, ani fistaszków, dawno już nie ma), jak z uśmiechem odwraca się od okna i woła: „Chodź no tutaj, Beatrycze! Zobacz, co robi ta mała!".

– Co ty właściwie robisz? – spytał Quigley.

– Coś, co pozwoli nam wspiąć się na wodospad – odparła Wioletka. – Wielka szkoda, że Słoneczka tu nie ma. Poprzecinałoby mi zębami na pół te struny od ukulele.

– Zdaje mi się, że mam na to radę – oznajmił Quigley, grzebiąc w plecaku. – W klinice Doktor Orwell znalazłem te oto sztuczne paznokcie. Mają obrzydliwy różowy kolor, ale są całkiem ostre.

Wioletka wzięła od niego jeden paznokieć i obejrzała go starannie.

– Mam wrażenie, że te paznokcie nosił Hrabia Olaf – powiedziała – kiedy przebrał się za recepcjonistkę. To bardzo dziwne, że tak długo szedłeś po naszych śladach, a my nie wiedzieliśmy nawet, że żyjesz.

– Za to ja wiedziałem, że wy żyjecie – odparł Quigley. – Jacques Snicket opowiedział mi o tobie, o Klausie, o Słoneczku, a nawet o waszych rodzicach. Znał ich dość dobrze, jeszcze przed waszym narodzeniem.

– Tak przypuszczałam – rzekła Wioletka, tnąc na pół struny od ukulele. – Na zdjęciu, które znaleźliśmy, widać naszych rodziców z Jacques'em Snicketem i jeszcze jednym panem.

– To pewnie brat Jacques'a. Jacques mówił mi, że pracuje nad jakimiś ważnymi aktami z dwojgiem rodzeństwa.

– Akta Snicketa – domyśliła się Wioletka. – Właśnie tutaj mieliśmy nadzieję je odnaleźć.

– Może ten, kto wysyłał nam sygnał, wie, gdzie one są – powiedział Quigley, spojrzawszy w górę na zamarznięty wodospad.

– Wkrótce się o tym przekonamy – odparła Wioletka. – A teraz zdejmij buty.

– Buty? – zdumiał się Quigley.

– Wodospad będzie bardzo śliski – wyjaśniła Wioletka – więc za pomocą strun od ukulele przytwierdzę zgięte widelce do czubków naszych butów, przerabiając je na raki. Po dwa dodatkowe widelce będziemy trzymać w rękach. Są niemal równie ostre jak zęby Słoneczka, więc nasze raki powinny z łatwością wbijać się w lód, zapewniając nam na każdym kroku punkt podparcia.

– A do czego ci w takim razie świecznik? – spytał Quigley, rozsznurowując buty.

– Do badania twardości lodu. Woda bieżąca, na przykład w wodospadzie, rzadko zamarza całkowicie. W niektórych miejscach warstwa lodu może okazać się bardzo cienka, zwłaszcza że przecież zbliża się Fałszywa Wiosna. Gdybyśmy widelcami przebili się przez lód do wody, stracilibyśmy przyczepność i byłoby po nas. Dlatego co krok będę opukiwać lód tym kandelabrem, wynajdując najtwardsze podłoże do wspinaczki.

– Zanosi się na trudną przeprawę – podsumował Quigley.

– Nie trudniejszą niż wspinaczka Wertykalnym Zbiornikiem Sadzy – odparła Wioletka, mocując widelec do buta Quigleya. – Zastosowałam węzeł Sumak, żeby mocno trzymał. Teraz potrzebne nam tylko buty Klausa i...

– Przepraszam, że przerywam, ale mam tu chyba coś ważnego – wtrącił się nagle Klaus. Wioletka odwróciła się do niego: Klaus w jednej ręce trzymał granatowy notes, a w drugiej mały świstek nadpalonego papieru. – Znalazłem ten świstek na stercie popiołów. To z jakiejś księgi kodowej.

– Co tam jest napisane? – spytała Wioletka.

– „W prz palenia i całkowitej dewastaceji sank – odczytał Klaus – lontariusze winni posiłkować się Werbalnie Zam Sloganami, ukrytymi stosownie do okoliczności”.

– To nie ma sensu – orzekł Quigley. – Myślisz, że tekst jest zaszyfrowany?

– W pewnym sensie – odparł Klaus. – Niektóre fragmenty zdań są wypalone, więc sensu trzeba się domyślać, jak w szyfrogramie. „Palenia" to zapewne końcówka słowa „podpalenia", a „sank" może być początkiem słowa „sanktuarium", oznaczającego w przenośni każde bezpieczne miejsce. Tekst zaczynałby się wówczas następująco: „W przypadku podpalenia i całkowitej dewastacji sanktuarium".

Wioletka wstała z ziemi i zajrzała bratu przez ramię.

– „lontariusze" – odgadła – to pewnie „wolontariusze". Ale nie wiem, co znaczy „posiłkować się"?

– To znaczy „wykorzystać" – wyjaśnił Klaus. – Na przykład ty w tej chwili posiłkujesz się ukulele i widelcami. Rozumiesz? Tekst informuje, że na wypadek podpalenia kryjówki, pozostawiono gdzieś tutaj tajny komunikat – „Werbalnie Zam Slogany".

– „Werbalnie Zam Slogany"... – powtórzył z namysłem Quigley. – Czyli jakie? Zamorskie? Zamienne?

– Zamulone? – podjęła zgadywankę Wioletka. – Zamaskowane?

– Tekst informuje, że Slogany zostały ukryte stosownie do okoliczności – zwrócił im uwagę Klaus. – Czyli szukać ich należy metodą logiczną. Gdyby chodziło o Werbalnie Wodolejne Slogany, schowano by je zapewne w wodospadzie. Więc żadna z waszych propozycji nie może być słuszna. Pomyślmy: gdzie należałoby ukryć wiadomość, aby zabezpieczyć ją przed ogniem?

– Ogień dociera wszędzie – powiedziała Wioletka. – Spójrz, co zostało z kwatery głównej: nic, tylko wejście do bibliotcki i...

– ...i lodówka – dokończył Klaus. – A część lodówki stanowi zamrażarka.

– „Werbalnie Zamrożone Slogany!” – obwieścił triumfalnie Quiglcy.

– Wolontariusze – rzekł z przekonaniem Klaus, który był już w połowie drogi do lodówki – pozostawili tajny komunikat w jedynym miejscu, do którego na pewno nie dotarłby ogień.

– I jedynym, do którego nie zajrzeliby wrogowie – dodał Quigley. – W lodówce przecież nie przechowuje się niczego szczególnie ważnego.

Oczywiście to, co powiedział Quigley, nie zawsze jest prawdą. Koperta, wydrążona figurka, trumna czy lodówka, zawierać mogą rozmaite rzeczy, które ni stąd, ni zowąd okażą się strasznie ważne – to zależy tylko od okoliczności. W lodówce, na przykład, może znajdować się kompres lodowy – rzecz wielkiej wagi, gdybyśmy nagle zostali ranni. W lodówce może znajdować się butelka wody – rzecz wielkiej wagi, gdybyśmy konali z pragnienia. W lodówce może także znajdować się koszyk truskawek – rzecz wielkiej wagi, gdyby niebezpieczny maniak zagroził nam: „Jeśli natychmiast nie dasz mi koszyka truskawek, przebiję cię na wylot tym długim drągiem". Gdy jednak starsi Baudelaire'owie z Quigleyem Bagiennym otworzyli lodówkę WZS, nie znaleźli w niej nic, co mogłoby się przydać osobie rannej, konającej z pragnienia albo szantażowanej przez maniaka truskawkowego z długim drągiem. Nic tam nie wyglądało na szczególnie ważne. Lodówka była prawie pusta, jeśli nie liczyć paru rzeczy, które tradycyjnie przechowywane są w lodówkach, ale rzadko używane – a konkretnie: słoika musztardy, puszki oliwek, trzech słoików konfitur w różnych smakach, butelki soku cytrynowego oraz samotnego korniszona w szklanym słoiczku.

– Nic tu nie ma – powiedziała Wioletka.

– Sprawdźmy szufladę – poradził Quigley, mając na myśli dolną część lodówki, w której trzyma się zazwyczaj owoce i warzywa. Klaus wysunął szufladę i wydobył z niej cienki pęczek zielonych pędów.

– Pachnie jak szczypiorek – ocenił. – I wygląda bardzo świeżo, jakby zerwano go wczoraj.

– Wyjątkowo Zielony Szczypiorek – podsumował Quigley.

– Następna tajemnica – jęknęła Wioletka i łzy zakręciły jej się w oczach. – Na każdym kroku nic, tylko tajemnice. Nie wiemy, gdzie jest Słoneczko. Nie wiemy, gdzie jest Hrabia Olaf. Nie wiemy, kto sygnalizował do nas ze szczytu wodospadu ani co chciał nam oznajmić tym sygnałem. A teraz jeszcze natrafiamy na tajemniczy

komunikat, tajemniczo zaszyfrowany w tajemniczej lodówce, w której leży pęczek tajemniczej
zieleniny. Mam dość tajemnic. Niech nam
wreszcie ktoś pomoże.

– Pomożemy sobie nawzajem – zapewnił ją
Klaus. – Ty znasz się na wynalazkach, Quigley –
na mapach, a ja – na badaniach naukowych.

– I wszyscy jesteśmy bardzo oczytani – dodał
Quigley. – To powinno wystarczyć do rozwiązania każdej tajemnicy.

Wioletka westchnęła i kopnęła coś, co leżało
na ziemi w popiele. Była to łupinka po fistaszku,
poczerniała od ognia, który strawił kwaterę
główną.

– Sami zachowujemy się już jak członkowie
WZS – powiedziała Wioletka. – Nadajemy sygnały, łamiemy szyfry i odkrywamy sekrety
w pogorzeliskach.

– Myślisz, że rodzice byliby z nas dumni, widząc, że wstępujemy w ich ślady? – spytał Klaus.

– Nie wiem – odparła Wioletka. – W końcu
trzymali WZS w sekrecie przed nami.

– Może chcieli powiedzieć nam o nim później – rzekł Klaus.

– Albo mieli nadzieję, że nigdy się nie dowiemy – mruknęła Wioletka.

– Też się nad tym zastanawiałem – przyznał Quigley. – Gdybym mógł cofnąć się w czasie do chwili, w której mama pokazała mi sekretny tunel pod biblioteką, spytałbym ją, dlaczego tak długo trzymała jego istnienie w sekrecie.

– No i mamy kolejną tajemnicę – podsumowała smętnie Wioletka, patrząc w górę na śliskie zbocze.

Popołudnie mijało nieuchronnie i zamarznięty wodospad lśnił coraz słabiej w blaknących promieniach słońca, jakby coraz mniej zostawało czasu na wspięcie się na szczyt i sprawdzenie, kto wysyłał sygnały.

– Każde z nas powinno się zająć tą tajemnicą, którą ma największe szanse rozwiązać – orzekła Wioletka. – Ja wespnę się na wodospad i rozwiążę tajemnicę Wysokokalorycznych Zielonych Sygnalizatorów: dowiem się, kto tam jest i czego chce. Ty, Klaus, powinieneś zostać tu na dole i rozwiązać tajemnicę Werbalnie Zamrożonych Sloganów, czyli złamać szyfr i odczytać komunikat.

– A ja pomogę wam obojgu – zaproponował Quigley, wyciągając swój fioletowy notes. – Klausowi zostawię księgę cytatów, może przydać się przy pracy nad szyfrem. A z tobą, Wioletko, wdrapię się na wodospad, na wypadek gdybyś potrzebowała pomocy.

– Na pewno chcesz? – spytała Wioletka. – I tak już bardzo daleko nas przyprowadziłeś, Quigley. Nie musisz więcej ryzykować dla nas życia.

– Jeżeli chcesz się z nami rozstać i wyruszyć na poszukiwanie własnego rodzeństwa, my to zrozumiemy – zapewnił go Klaus.

– Nie wygłupiajcie się – powiedział Quigley. – Tajemnica, z czymkolwiek się wiąże, dotyczy nas wszystkich. Jasne, że wam pomogę.

Baudelaire'owie z uśmiechem spojrzeli po sobie. To wielka rzadkość na tym świecie spotkać godną zaufania osobę, która naprawdę chce nam pomóc – gdy się kogoś takiego znajdzie, człowiekowi zaraz robi się cieplej i raźniej, nawet pośrodku wietrznej doliny wysoko w górach. Przez chwilę, gdy przyjaciel odpowiedział im uśmiechem, Klaus z Wioletką poczuli się tak, jakby wszystkie ich tajemnice już zostały rozwiązane, chociaż Słoneczko wciąż było nie wiadomo gdzie, Hrabia Olaf grasował na wolności, a kwatera główna WZS leżała w zgliszczach. Mimo to sama świadomość, że spotkali kogoś takiego jak Quigley Bagienny, natchnęła Klausa i Wioletkę optymistyczną myślą, że każdy szyfr da się odczytać i każdy sygnał ma sens.

Wioletka podeszła do Quigleya w widelcowych rakach, które z bojową determinacją postukiwały o zmarznięty grunt, i uścisnęła mu rękę.

– Dziękuję ci, wolontariuszu – powiedziała.

Wioletka z Quigleyem ostrożnie przeszli przez zamarznięty staw i stanęli u stóp wodospadu.

– Powodzenia! – krzyknął za nimi Klaus spod łuku wejścia do spalonej biblioteki. Przecierał właśnie okulary, jak zwykle przed przystąpieniem do poważnych badań naukowych.

– Powodzenia! – odwzajemniła mu się Wioletka, przekrzykując szum górskich wichrów, a kiedy obejrzała się na brata, przypomniało jej się, jak we dwoje próbowali zatrzymać na stromej drodze rozpędzony barakowóz. Klaus chciał jej wtedy powiedzieć coś ważnego, na wypadek gdyby spadochron opóźniający i mieszanina lepkich substancji jednak nie zadziałały. Teraz Wioletka, szykując się do wspinaczki zamarzniętym wodospadem i opuszczając brata na zgliszczach kwatery głównej WZS, poczuła tę samą potrzebę.

– Klaus... – zaczęła.

Klaus nałożył okulary i uśmiechnął się do siostry najdzielniej, jak potrafił.

– Cokolwiek chcesz mi powiedzieć – rzekł – powiedz to po powrocie.

Wioletka skinęła bez słowa i stuknęła świecznikiem w wybrany punkt na powierzchni lodu. Odpowiedziało jej głuche *tuk!*, jakby natrafiła na bardzo solidne podłoże.

– Stąd zaczniemy – poinformowała Quigleya. – Głowa do góry.

Wyrażenie „głowa do góry", jak zapewne sami wiecie, nie oznacza, że zachęcamy rozmówcę do spojrzenia w niebo. Znaczy ono po prostu: „przygotuj się na prawdopodobnie trudne zadanie". I rzeczywiście: wspinaczka zamarzniętym wodospadem w samym środku wyjątkowo wietrznej doliny, ze sprzętem alpinistycznym w postaci świecznika i przytwierdzonych do butów widelców, okazała się dla dzieci zadaniem bardzo trudnym. Przez parę pierwszych chwil uczyli się oboje prawidłowo korzystać z wynalazku Wioletki, czyli wbijać widelce raków tak głęboko, aby zapewniły oparcie, ale nie utknęły na dobre w lodzie. Za każdym razem gdy to się udało, Wioletka wyciągała jak najwyżej rękę i świecznikiem opukiwała lód w poszukiwaniu kolejnego twardego punktu zaczepienia. Po kilku pierwszych krokach zdawało im się, że w ten sposób nigdy nie pokonają lodowego zbocza, a jednak z każdą chwilą nabierali wprawy w korzystaniu z widelcowych raków i świecznikowego czekana – wyglądało więc na to, że po raz kolejny talent wynalazczy Wioletki zatriumfuje – co tu oznacza: „umożliwi Wioletce Baudelaire i Quigleyowi Bagiennemu wspiąć się na zamarznięty wodospad, który zaatakowali dzielnie, z głową do góry".

– Twój wynalazek działa! – krzyknął Quigley do Wioletki. – Te widelcowe raki są fantastyczne!

– Tak, chyba się sprawdzają – przyznała Wioletka. – Ale nie cieszmy się za wcześnie. Przed nami jeszcze długa droga.

– Moja siostra napisała kiedyś kuplet na ten temat – powiedział Quigley i zacytował wiersz Izadory:

Kto w połowie zacznie skakać,
Ten na końcu może płakać.

Wioletka uśmiechnęła się, opukując świecznikiem kolejny odcinek lodu nad głową.

– Izadora to dobra poetka – powiedziała. – Jej wiersze już nieraz nam pomogły. Kiedy byliśmy w Wiosce Zakrakanych Skrzydlaków, powiadomiła nas, gdzie mamy jej szukać, ukrywając zaszyfrowaną wiadomość w serii kupletów.

– Ciekawe – rzekł Quigley – czy szyfr zapożyczyła od WZS, czy wymyśliła sama.

– Nie mam pojęcia – odparła z namysłem Wioletka. – O WZS dowiedzieliśmy się co prawda od Izadory i Duncana, ale nie przyszło mi do głowy, że oni mogli być już wtedy członkami organizacji. Faktem jest, że zastosowali szyfr podobny do szyfru Ciotki Józefiny. W obu przypadkach wiadomości były ukryte, a nadawcy czekali, aż je odnajdziemy. Może więc wszyscy troje byli wolontariuszami. – Wioletka wyszarpnęła z lodu widelec lewego buta i z impetem wbiła go parę cali wyżej. – Może wszyscy nasi opiekunowie byli w WZS, a po schizmie znaleźli się po jednej lub po drugiej stronie.

– Wierzyć się nie chce – odparł Quigley – że mogliśmy całe życie przeżyć w otoczeniu ludzi wykonujących tajne polecenia i wcale o tym nie wiedzieć.

– Wierzyć się nie chce – zawtórowała mu Wioletka – że wspinamy się po zamarzniętym wodospadzie w Górach Grozy. A jednak to prawda.

Spójrz, Quigley: widzisz tę półkę skalną, w którą wbiłam właśnie lewy widelec? Wygląda dość mocno. Przysiądźmy tam na chwilę, żeby odsapnąć.

– Dobra myśl. Mam w plecaku torebkę marchewek; mała przegryzka doda nam energii.

Trojaczek Bagienny wdrapał się za Wioletką na półkę skalną, niewiele większą od wąskiej kanapy. Siedząc tuż obok siebie i patrząc w dół, dzielni alpiniści stwierdzili, że zaszli wyżej, niż im się zdawało. Daleko w dole czerniały zwęglone ruiny kwatery głównej, a Klaus widoczny był jako mała kropeczka pod żelaznym łukiem. Wioletka nadgryzła marchewkę, którą podał jej Quigley, i zamyśliła się.

– Słoneczko uwielbia surową marchewkę – powiedziała. – Mam nadzieję, że gdziekolwiek teraz jest, karmią je dobrze.

– I ja mam taką nadzieję, kiedy myślę o swoim rodzeństwie – rzekł Quigley. – Mój tata zawsze powtarzał, że dobry posiłek to połowa dobrego humoru.

– Tak samo mawiał mój tata! – Wioletka ze zdziwieniem spojrzała na Quigleya. – Myślisz, że to też był szyfr?

Quigley wzruszył ramionami i westchnął. Z czubków widelców przy ich butach odpadały drobne okruchy lodu i leciały z wiatrem.

– Zaczynam myśleć, że w ogóle nie znaliśmy swoich rodziców – powiedział.

– Ależ znaliśmy ich – zaprzeczyła Wioletka. – Po prostu mieli przed nami parę sekretów. Każdy człowiek ma prawo do paru sekretów.

– Pewnie tak – przyznał Quigley. – A jednak mogli chociaż wspomnieć, że należą do tajnej organizacji, która ma swoją tajną kwaterę główną w Górach Grozy.

– Może nie chcieli, żebyśmy dowiedzieli się o tak niebezpiecznej placówce – powiedziała Wioletka, zerkając w dolinę ze skalnej półki. – Chociaż jeśli już w ogóle trzeba ukrywać kwaterę główną, to trudno o piękniejsze miejsce. Pomijając rumowisko po pożarze, panorama jest prześliczna.

– To prawda, jest prześliczna – potwierdził Quigley, ale nie patrzył przy tym wcale na panoramę. Patrzył znacznie bliżej, na siedzącą tuż obok Wioletkę Baudelaire.

Trójka Baudelaire'ów pozbawiona została w życiu wielu rzeczy. Przede wszystkim pozbawieni zostali rodziców i domu, czemu winien był straszny pożar. Pozbawieni zostali kolejnych opiekunów, z których część wymordował Hrabia Olaf, a część okazała się do niczego i szybko straciła zainteresowanie trojgiem sierot bez dachu nad głową. Pozbawieni też zostali godności, i to nie raz: gdy musieli się głupio przebierać albo ostatnio, gdy zostali rozdzieleni i porwane Słoneczko wysługiwało się bandzie łotrów na szczycie oblodzonego wodospadu, a Wioletka z Klausem u stóp tegoż wodospadu poznawali sekrety WZS. Ale Baudelaire'owie nie zostali pozbawieni jednej rzeczy, o której rzadko się tutaj wspomina: intymności – co tu oznacza: „chwil odosobnienia, gdy nikt nas nie obserwuje i nikt nam nie przeszkadza". O ile nie jesteście pustel-

nikiem lub połową bliźniąt syjamskich, na pewno sami lubicie od czasu do czasu oddalić się od
rodziny i zażyć intymności, chętnie z kimś bli-
skim, przyjacielem lub towarzyszem, we włas-
nym pokoju lub w wagonie kolejowym, do którego udało wam się wślizgnąć ukradkiem. Od
tragicznego dnia na Piaszczystej Plaży, kiedy
pan Poe przyszedł oznajmić Baudelaire'om, że
ich rodzice tragicznie zginęli, Wioletka, Klaus
i Słoneczko nie zaznali prawie intymności. Po-
cząwszy od ciasnej, ciemnej klitki, w której no-
cowali u Hrabiego Olafa, po zatłoczony barakowóz w wesołym miasteczku, i przez wszystkie
przykre miejsca zamieszkania po drodze, Baudelaire'owie żyli zawsze w takim zamęcie i ści-
sku, że bardzo rzadko udawało im się wykroić
chwilę na życie prywatne.

Dlatego też, skoro już Wioletka z Quigleyem
zrobili sobie mały odpoczynek na półce skalnej
w połowie wysokości zamarzniętego wodospadu,
skorzystam z okazji i udzielę im nieco intymności, nie pisząc ani słowa więcej o tym, co zaszło

między dwojgiem przyjaciół owego przenikliwie chłodnego popołudnia. Również i w moim życiu prywatnym bywały chwile, których nigdy bym nie opisał, jakkolwiek dla mnie są bezcenne – ten sam przywilej przyznaję więc najstarszej z sierot Baudelaire. Powiem tylko tyle, że młodzi ludzie po pewnym czasie podjęli dalszą wspinaczkę, że popołudnie zmieniało się pomału w wieczór i że Wioletka z Quigleyem uśmiechali się tajemniczo, pokonując drogę na najwyższy szczyt Gór Grozy za pomocą świecznikowego czekana i widelcowych raków. Ale w życiu Wioletki Baudelaire tak mało było dotychczas intymności, że pozwolę jej tych kilka ważnych chwil zachować dla siebie i nie podzielę się ich opisem z moimi przygnębionymi, zapłakanymi czytelnikami.

– Jeszcze tylko kawałeczek – powiedziała Wioletka. – Słabo widać, bo słońce właśnie zachodzi, ale zdaje mi się, że zaraz staniemy na szczycie.

– Trudno uwierzyć, że wspinaliśmy się całe popołudnie – rzekł Quigley.

– Niecałe – przypomniała Wioletka z wstydliwym uśmiechem. – Na moje oko, wodospad ma mniej więcej wysokość bloku przy Alei Ciemnej 667. Tam też mnóstwo czasu zajęło nam wspinanie się i schodzenie szybem windy, gdy chcieliśmy ratować twoje rodzeństwo. Mam nadzieję, że tym razem odniesiemy większy sukces.

– Ja też – przytaknął jej Quigley. – Jak myślisz, co znajdziemy na szczycie?

– Komplet! – padła odpowiedź.

– Nie dosłyszałem, ten wiatr tak strasznie szumi. Co mówiłaś? – spytał Quigley.

– Ja? Nic – odparła Wioletka i spojrzała w górę, wytężając wzrok w gasnącej poświacie słońca. Nie śmiała wierzyć, że się nie przesłyszała.

Słowo „komplet" ma mnóstwo definicji i wystarczy otworzyć dobry słownik języka polskiego, aby na widok tasiemcowej listy jego znaczeń dojść do wniosku, że „komplet", to w ogóle nie konkretne słowo, tylko dźwięk, który przybiera dowolne znaczenie, zależnie od tego, kto i gdzie go używa. Dyrektor teatru, na przykład, mówiąc

„komplet", będzie zazwyczaj miał na myśli pu-
bliczność, która zapełni wszystkie miejsca na widowni – o ile, naturalnie, wcześniej nie wybuch-
nie tam pożar. Właściciel restauracji słowem
„komplet" określi albo zestaw sztućców, kielisz-
ków czy innych elementów zastawy, albo brak
wolnych miejsc przy stolikach. Bibliotekarz po-
wie „komplet" o zbiorze dzieł jednego autora
lub na jeden temat, historyk natomiast użyje tego słowa zwykle w liczbie mnogiej, a mówiąc
„komplety", będzie miał na myśli tajne naucza-
nie. Kiedy jednak Wioletka usłyszała słowo
„komplet" ze szczytu Góry Cug, nie pomyślała
wcale, że spotka tam dyrektora teatru, właścicie-
la restauracji, bibliotekarza czy historyka, roz-
prawiających o pełnej widowni, wyposażeniu
i popularności lokalu, dziełach powiązanych nazwiskiem autora lub tematyką, czy tajnym
szkolnictwie z czasów okupacji. Wioletka wbiła
widelec buta w lód najwyżej, jak się dało, zerknęła ponad krawędź szczytu i ujrzała wielki ząb,
od którego odbijały się ostatnie promienie słońca.

To ją przekonało, że tym razem słowo „komplet" należało rozumieć: „Wiedziałam, że mnie znajdziecie!", a osobą, która je wypowiedziała, było Słoneczko Baudelaire.

– Komplet! – powtórzyło Słoneczko.

– Słoneczko! – krzyknęła radośnie Wioletka.

– Ćśśś! – odpowiedziało Słoneczko.

– Co tam się dzieje? – spytał Quigley, postępujący parę kroków za Wioletką.

– To Słoneczko! – odparła Wioletka. Podciągnęła się na szczyt i ujrzała przed sobą uśmiechniętą od ucha do ucha siostrzyczkę, która stała przy samochodzie Hrabiego Olafa. Bez słowa padły sobie w objęcia; Wioletka uważała tylko bardzo, żeby nie skaleczyć Słoneczka widelcem przytwierdzonym do podeszwy buta. Gdy Quigley w końcu wgramolił się na szczyt i siadł, oparty o oponę jednego z kół automobilu, siostry Baudelaire patrzyły na siebie ze łzami w oczach.

– Byłam pewna, że się jeszcze zobaczymy, Słoneczko – rzekła Wioletka. – Byłam tego absolutnie pewna.

– Klaus? – spytało Słoneczko.

– Jest cały i zdrów, niedaleko stąd – uspokoiła siostrzyczkę Wioletka. – On też był pewien, że cię odnajdziemy.

– Komplet – podsumowało Słoneczko. Nagle jednak ujrzało Quigleya i zrobiło wielkie oczy. – Bagien?

– Tak, Słoneczko – odparła Wioletka. – To Quigley Bagienny. Jednak przeżył pożar.

Słoneczko chwiejnym krokiem podeszło do Quigleya i podało mu rękę.

– Quigley doprowadził nas do kwatery głównej, Słoneczko – dodała Wioletka. – Dzięki samodzielnie sporządzonej mapie.

– Arigato – powiedziało Słoneczko, komunikując coś w sensie: „Doceniam twoją pomoc, Quigleyu".

– Czy to ty nadawałaś do nas sygnał? – spytał Quigley.

– No! – potwierdziło Słoneczko. – Loks.

– Hrabia Olaf każe ci gotować? – zdumiała się Wioletka.

– Fukruszy – powiedziało Słoneczko.

– Olaf kazał jej nawet wysprzątać okruchy z samochodu za pomocą dmuchania – przetłumaczyła Wioletka Quigleyowi.

– To absurd! – oburzył się Quigley.

– Kopciuszek – odparło Słoneczko, komunikując coś w sensie: „Musiałam wykonywać najrozmaitsze posługi, na każdym kroku doznając upokorzeń". Tego jednak Wioletka nie zdążyła przetłumaczyć, gdyż nagle zabrzmiał skrzekliwy głos Olafa.

– Gdzie się pętasz, bobolarwo? – wrzeszczał Olaf, dodając kolejne przezwisko do listy obelg, którymi obrzucał Słoneczko. – Robota czeka, mam dla ciebie nowe zadania!

Trójka dzieci wymieniła spłoszone spojrzenia.

– Chowa! – szepnęło Słoneczko i doprawdy nie trzeba było tego tłumaczyć.

Wioletka z Quigleyem rozejrzeli się za jakąkolwiek kryjówką, ale na pustym, płaskim szczycie było tylko jedno miejsce, gdzie mogli się schować.

– Pod samochód! – zarządziła Wioletka, i oboje z Quigleyem wcisnęli się pod długi, czarny automobil, równie brudny i cuchnący jak jego właściciel. Jako wynalazczyni, najstarsza z sierot Baudelaire wielokrotnie badała pojazdy mechaniczne od strony podwozia – nigdy jednak nie zetknęła się z takim obrazem nędzy i rozpaczy, co tu oznacza: „podwoziem skorodowanym do tego stopnia, że olej silnikowy kapał ciurkiem na nią i jej towarzysza”. Ale Wioletka z Quigleyem nie mieli czasu na rozmyślanie o niewygodach. Ledwie zdążyli cofnąć z pola widzenia podkute widelcami buty, przy aucie zjawił się Hrabia Olaf ze swoimi kompanami. Spod podwozia dwoje młodych wolontariuszy widziało tylko tatuaż na brudnej nodze łotra, tuż ponad lewym butem, oraz niesamowicie stylowe pantofle damskie na szpilkach, zdobione brokatem i malowanym deseniem w miniaturowe oczy – te należeć mogły wyłącznie do Esmeraldy Szpetnej.

– Od rana nie mieliśmy w ustach nic oprócz wędzonego pstrąga, a zbliża się już pora kolacji

– zauważył Olaf. – Bierz się lepiej do garów, sieroto.

– A jutro Święto Fałszywej Wiosny – przypomniała Esmeralda. – Bardzo stylowo byłoby wydać specjalny Fałszywie Wiosenny Bankiet.

– No, zębolu, dotarło? – warknął Olaf. – Moja narzeczona domaga się stylowego bankietu. Do roboty.

– Olafie, jesteś nam potrzebny! – zadudnił niski bas, a Wioletka z Quigleyem dostrzegli dwie pary złowieszczo czarnych butów, wyrosłych znienacka tuż za butami łotra i jego narzeczonej, które zadygotały nerwowo na ich widok. Pod automobilem jakby powiało nagłym chłodem, aż Wioletka wcisnęła mocno kolana w oponę, żeby ich dygot nie poruszył rozklekotanej maszynerii i nie narobił hałasu.

– Właśnie, Olafie – zachrypiał głos mężczyzny z brodą, ale bez włosów, niewidocznego dla Wioletki i Quigleya. – Rekrutacja rozpocznie się jutro od samego rana. Musisz nam pomóc rozciągnąć sieć na ziemi.

– Nie wystarczyłby któryś z naszych pracowników? – spytała Esmeralda. – Jest przecież hakoręki, są dwie bladolice i troje dziwolągów z wesołego miasteczka. To razem z wami osiem osób – chyba dość do rozciągnięcia sieci. Po co jeszcze my?

Cztery czarne buty podeszły tuż do stylowych szpilek Esmeraldy i tatuażu Olafa.

– Wy to zrobicie! – huknęła basem kobieta z włosami, ale bez brody. – Bo ja tak chcę.

Zapadła dłuższa chwila złowrogiej ciszy, którą przerwał nienaturalnie piskliwy śmiech Olafa.

– Świetny argument. Chodźmy, Esmeraldo. Zbesztaliśmy niemowlę, więc i tak nie mamy tu już co robić.

– Racja – przyznała Esmeralda. – Szczerze mówiąc, z nudów zaczęłam się już zastanawiać, czy znów sobie nie zapalić. Nie macie więcej tych zielonych papierosów?

– Niestety, nie – odparł mężczyzna z brodą, ale bez włosów, odprowadzając zbójecką parkę od samochodu. – Znalazłem tylko tego jednego.

– To fatalnie – zmartwiła się Esmeralda. – Papierosy mają co prawda wstrętny smak i zapach, i bardzo szkodzą zdrowiu, ale są w modzie, więc chętnie zapaliłabym następnego.

– Może został jeszcze jakiś w ruinach kwatery głównej – powiedziała kobieta z włosami, ale bez brody. – W popiele nie wszystko daje się łatwo znaleźć. Cukiernicy, na przykład, szukaliśmy cztery dni i nie znaleźliśmy.

– Nie przy dziecku! – upomniał ją Olaf, i cztery pary butów oddaliły się w swoją stronę. Wioletka z Quigleyem nie wyleźli jednak spod samochodu, aż Słoneczko obwieściło:

– Drogawolny! – komunikując coś w sensie: „Możecie bezpiecznie wyjść".

– Co za straszni ludzie – rzekł z drżeniem Quigley, usiłując zetrzeć z ubrania ślady oleju i smaru. – Aż mi się zimno przez nich zrobiło.

– Bez wątpienia roztaczali aurę zagrożenia – przyznała szeptem Wioletka. – Noga z tatuażem należała do Hrabiego Olafa, brokatowe szpilki – do Esmeraldy, ale czyje były pozostałe buty?

– Anoni palacze – mruknęło w odpowiedzi Słoneczko, komunikując coś w sensie: „Nie wiem, kim są ci ludzie, ale to oni podpalili kwaterę główną WZS". Wioletka natychmiast przetłumaczyła to Quigleyowi.

– Klaus znalazł ważny komunikat, który ocalał z pożaru – rzekła Wioletka. – Zanim zniesiemy cię na dół wodospadem, na pewno zdąży go rozszyfrować. Chodźmy.

– Nieidzi – powiedziało Słoneczko, komunikując: „Uważam, że nie powinnam wam towarzyszyć".

– Dlaczego nie? – zdumiała się Wioletka.

– Ostakryj – odpowiedziało Słoneczko.

– Słoneczko mówi, że złoczyńcy wspomnieli o jeszcze jednym bezpiecznym miejscu, w którym mogli się schronić wolontariusze – objaśniła Wioletka Quigleyowi.

– Wiesz, gdzie ono się znajduje? – spytał Quigley.

Słoneczko pokręciło przecząco główką.

– Olafakta – powiedziało.

– Skoro Hrabia Olaf ukrywa akta Snicketa, to jak się dowiesz o lokalizacji bezpiecznego miejsca?

– Matahari – odparło Słoneczko, komunikując coś w sensie: „Jeżeli tu zostanę, poszpieguję ich i w końcu się dowiem".

– Wykluczone! – zaprotestowała Wioletka, przetłumaczywszy wpierw wypowiedź Słoneczka Quigleyowi. – Nie możesz tu zostać Słoneczko, to zbyt niebezpieczne. Choćby dlatego, że Olaf zmusza cię do gotowania.

– Loks – uściśliło Słoneczko.

– A co zamierzasz przyrządzić na Fałszywie Wiosenny Bankiet? – spytała Wioletka.

Słoneczko uśmiechnęło się do siostry i podeszło do bagażnika automobilu. Wioletka z Quigleyem słyszeli, jak maleństwo grzebie w resztkach prowiantów, ale nie ruszali się z miejsca, aby przypadkiem nie zoczył ich Olaf lub ktoś z jego wspólników. Słoneczko wróciło po chwili z triumfalnym uśmiechem, niosąc bryłę mrożonego szpinaku, sporą torbę grzybów, puszkę orzechów wodnych i wielkiego kabaczka.

– Fałszeliki! – obwieściło z dumą, komunikując coś w sensie: „Mieszankę jarzynową zawiniętą
w liście szpinaku, specjalne danie na Święto Fałszywej Wiosny".

– Zadziwia mnie, że potrafisz udźwignąć tego
kabaczka, nie mówiąc już o przyrządzeniu go! –
rzekła Wioletka. – Waży pewnie tyle co ty.

– Bankietazja – odparło Słoneczko, komunikując coś w sensie: „Obsługiwanie Olafa i jego
trupy przy bankiecie będzie doskonałą okazją do
podsłuchiwania ich rozmów". Wioletka przetłumaczyła to bez entuzjazmu.

– Brzmi niebezpiecznie – ocenił Quigley.

– Nawet bardzo – zmartwiła się Wioletka. –
Jeśli przyłapią Słoneczko na szpiegowaniu, kto
wie, co z nim zrobią.

– Ga-ga-gu – powiedziało na to Słoneczko, komunikując: „Nie przyłapią mnie, bo uważają, że
jestem bezrozumnym niemowlęciem".

– Twoja siostra ma rację – powiedział Quigley. – Zresztą, znoszenie jej w dół wodospadem
też byłoby niebezpieczne. Obie ręce są nam

przecież potrzebne przy pokonywaniu zbocza. Niech już lepiej Słoneczko zbada tajemnicę, którą ma największe szanse rozwiązać, a my zajmiemy się planem ucieczki.

Wioletka pokręciła głową, wyraźnie nieprzekonana.

– Nie chcę jej tu zostawiać – powiedziała. – Baudelaire'owie nie powinni się rozdzielać.

– Dziela Klaus – zauważyło przytomnie Słoneczko.

– Jeśli istnieje jeszcze jakieś miejsce zgromadzeń wolontariuszy – rzekł Quigley – musimy się dowiedzieć, gdzie ono jest. Tę informację może dla nas uzyskać Słoneczko, ale tylko pod warunkiem, że tu zostanie.

– Moja siostra jest niemowlęciem. Nie zostawię jej na szczycie góry – oświadczyła kategorycznie Wioletka.

Słoneczko rzuciło prowianty na ziemię i z uśmiechem podeszło do siostry.

– Ja nie dzidziuś – powiedziało, przytulając się mocno do Wioletki.

Było to najdłuższe zdanie, jakie Słoneczko wypowiedziało w swoim życiu – a Wioletka, spojrzawszy w dół na siostrzyczkę, przekonała się ponadto, że jest to zdanie prawdziwe. Najmłodsze z Baudelaire'ów rzeczywiście nie było już dzidziusiem. Było małą dziewczynką o nadzwyczajnie ostrych zębach, obdarzoną wybitnym talentem kulinarnym i możliwością szpiegowania grupy przestępczej w celu zdobycia informacji nadzwyczajnej wagi. Nie wiadomo kiedy, pośród wielu niefortunnych zdarzeń, które spotkały trzy sieroty, Słoneczko wyrosło z niemowlęctwa – i chociaż trochę to Wioletkę zasmuciło, to zarazem była dumna z siostrzyczki, więc odpowiedziała jej uśmiechem.

– Chyba masz rację – przyznała. – Nie jesteś już dzidziusiem. Ale uważaj na siebie, Słoneczko. Nawet dla małej dziewczynki, która nie jest już dzidziusiem, szpiegowanie grupy przestępczej może być niebezpieczne. Pamiętaj też, że jesteśmy na dole, u stóp tego zbocza. W razie czego wyślij nam sygnał.

Słoneczko już otworzyło buzię, żeby odpowiedzieć, lecz nie zdążyło, bo nagle wszyscy troje usłyszeli przeciągły syk, dochodzący spod auta Olafa, jakby chowała się tam jakaś żmija z kolekcji Doktora Montgomery'ego. Automobil przechylił się lekko na jedno koło, a Wioletka, wskazując sflaczałą oponę, powiedziała:

– Widocznie przebiłam dętkę widelcem buta.

– To niezbyt ładnie – stwierdził Quigley. – Ale nie powiem, żeby mi było specjalnie przykro.

– Co z tą kolacją, zęboludzie? – zabrzmiał okrutny głos Olafa, zagłuszając świst wiatru.

– Lepiej już chodźmy, zanim nas tu znajdą – rzekła Wioletka. Jeszcze raz przytuliła siostrzyczkę i ucałowała ją w czubek główki. – Do zobaczenia wkrótce, Słoneczko.

– Do widzenia, Słoneczko – powiedział Quigley. – Cieszę się, że nareszcie cię poznałem. I dzięki za chęć pomocy w znalezieniu ostatniej kryjówki wolontariuszy.

Słoneczko Baudelaire spojrzało w górę, najpierw na Quigleya, a potem na swoją starszą siostrę, i uśmiechnęło się do obojga radośnie, demonstrując wszystkie imponujące zębiska. Było szczęśliwe, że po tak długim przebywaniu w towarzystwie łotrów znów spotkało ludzi, którzy doceniają jego talenty, szanują jego pracę i rozumieją, co mówi. Mimo że Klaus został na dole, u stóp wodospadu, Słoneczko czuło się tak, jakby już z powrotem byli wszyscy razem, i nabrało pewności, że przygoda w Górach Grozy zakończy się szczęśliwie. Co do tego myliło się, rzecz jasna, ale na razie uśmiechało się radośnie do dwóch życzliwych sobie osób, jednej dopiero co poznanej, a drugiej znanej od początku życia. Zdawało mu się, że czuje, jak rośnie.

– Cieszy – powiedziała mała dziewczynka, i tym razem wszyscy obecni zrozumieli ją bez trudu.

Jeśli zdarzyło wam się widzieć rysunek przed-
stawiający kogoś, kto właśnie wpadł na pomysł,
mogliście zauważyć, że ten ktoś ma nad głową
narysowaną żarówkę. W życiu, rzecz jasna, gdy
wpadamy na pomysł, nie pojawia nam się nad
głową żarówka, ale obraz żarówki nad głową
człowieka stał się symbolem myślenia, tak jak
wyobrażenie oka stało się, niestety, symbolem
zbrodni i czynów nagannych,
zamiast oznaczać
bezpieczny nadzór,
ochronę przed
pożarem i oczytanie.

Gdy Wioletka z Quigleyem schodzili z góry śliskim zboczem zamarzniętego wodospadu, co krok wbijając w lód widelce prowizorycznych raków, spojrzeli w dół i w ostatnim błysku zachodzącego słońca dostrzegli postać Klausa. Trzymał on nad głową latarkę, aby wskazywać dwojgu alpinistom właściwy kierunek – ale wyglądało to tak, jakby nagle olśnił go błyskotliwy pomysł.

– Musiał znaleźć tę latarkę w rumowisku – powiedział Quigley. – Dokładnie taką samą dostałem od Jacques'a Snicketa.

– Mam nadzieję, że uzyskał dość informacji, aby rozszyfrować Werbalnie Zamrożone Slogany – rzekła Wioletka, opukując świecznikiem lód pod stopami. – W tym miejscu uważaj, Quigley. Lód wydaje się cienki. Lepiej obejdźmy ten kawałek bokiem.

– Lód jest w ogóle mniej solidny, odkąd zaczęliśmy schodzić – zauważył Quigley.

– I nic dziwnego – odparła Wioletka. – Podziobaliśmy go solidnie widelcami, wchodząc na górę. Zanim nadejdzie Fałszywa Wiosna, wodospad stopnieje już pewnie do połowy.

– Mam nadzieję, że zanim nadejdzie Fałszywa Wiosna, będziemy już w drodze do ostatniej kryjówki wolontariuszy.

– Ja też mam taką nadzieję – szepnęła Wioletka.

Potem nie mówili już nic, aż stanęli u stóp wodospadu i ostrożnie przeszli przez zamarznięty staw po ścieżce światła, którą wyznaczył im Klaus swoją latarką.

– Tak się cieszę, że wracacie cali i zdrowi! – powitał ich Klaus, kierując światło latarki na ruiny stołówki. – To była naprawdę śliska eskapada. Robi się zimno, ale siądźmy za filarem wejścia do biblioteki, tam tak strasznie nie wieje.

Wioletka nie chciała jednak czekać ani chwili z oznajmieniem bratu, kogo znalazła na szczycie Góry Cug.

– Tam jest Słoneczko! Słoneczko jest na samej górze! To ono wysyłało do nas sygnały.

– Słoneczko? – Klaus zrobił wielkie oczy i uśmiechnął się od ucha do ucha. – Jak ono się tam dostało? Czy jest bezpieczne? Czemu go nie sprowadziliście?

– Jest bezpieczne – odparła Wioletka. – Tkwi w rękach Hrabiego Olafa, ale nic mu nie grozi.

– Olaf nie zrobił jej krzywdy? – zaniepokoił się Klaus.

Wioletka pokręciła głową.

– Nie – odparła. – Każe jej tylko gotować i sprzątać.

– Przecież to jeszcze niemowlę! – oburzył się Klaus.

– Już nie – odparła Wioletka. – Nie zauważyliśmy nawet, Klausie, kiedy nasza siostrzyczka podrosła. To fakt, że jest za młoda na tak ciężkie domowe obowiązki, ale faktem jest również, że w trakcie naszych wspólnych kłopotów nie wiadomo kiedy przestała być dzidziusiem.

– Dorosła nawet do podsłuchiwania – dodał Quigley. – Już zdołała się dowiedzieć, kto spalił kwaterę główną WZS.

– Zrobiła to para strasznych ludzi, mężczyzna i kobieta, którzy roztaczają aurę zagrożenia –

powiedziała Wioletka. – Nawet Hrabia Olaf trochę się ich boi.

– A co oni wszyscy tam robią? – spytał Klaus.

– Odbywają jakąś łotrowską konferencję – odparł Quigley. – Słyszeliśmy, jak mówili coś o planie rekrutacji i o wielkiej sieci.

– Nie brzmi to zbyt miło – stwierdził Klaus.

– To jeszcze nie wszystko, Klaus – powiedziała Wioletka. – Hrabia Olaf ma w ręku akta Snicketa, dzięki którym wie, gdzie znajduje się ostatnie bezpieczne miejsce tajnych spotkań członków organizacji WZS. Dlatego właśnie Słoneczko zostało na górze. Jeśli z podsłuchu pozna lokalizację tego miejsca, będziemy wiedzieli, gdzie szukać reszty wolontariuszy.

– Mam nadzieję, że podsłuch się uda – rzekł Klaus. – Bo bez tej informacji wszystko, co zdołałem ustalić, jest na nic.

– A co zdołałeś ustalić? – spytał Quigley.

– Pokażę wam – rzekł Klaus i ruszył pierwszy w stronę ruin biblioteki, gdzie Wioletka dostrzegła ślady jego pracy. Granatowy notatnik leżał otwarty i kilka stron miał zapełnionych zapiskami. Tuż obok, pod osmaloną filiżanką, która posłużyła Klausowi za przycisk, tkwiło kilka nadpalonych skrawków papieru, a nieopodal widniała zawartość lodówki, ułożona w schludne półkole: słoik musztardy, puszka oliwek, trzy słoiki konfitur i wyjątkowo zielony szczypiorek. Szklany słoiczek z pojedynczym korniszonem i butelka soku cytrynowego stały z boku.

– To jedno z najtrudniejszych badań, jakie dotąd prowadziłem – przyznał Klaus, siadając przy notatniku. – Biblioteka prawnicza Sędzi Strauss była zbyt fachowa, biblioteka gramatyczna Ciotki Józefiny była nudna, ale każda z nich to pestka w porównaniu ze zniszczoną biblioteką WZS. Tutaj nawet gdy wiem, jakiej książki szukam, mogę znaleźć ją w postaci kupki popiołu.

– Znalazłeś cokolwiek o Werbalnie Zamrożonych Sloganach? – spytał Quigley, siadając obok.

– Nie od razu – odparł Klaus. – Ten świstek, który doprowadził nas do lodówki, leżał na wielkim stosie popiołów, których przegrzebanie zajęło

dłuższą chwilę. W końcu jednak znalazłem pojedynczą kartkę, chyba z tej samej książki. – Sięgnął
po notes i poświecił na niego latarką. – Kartka była tak zniszczona – relacjonował dalej – że natychmiast przepisałem jej tekst do księgi cytatów. Ob-
jaśnia on zasadę działania szyfru.

– Przeczytaj nam – poprosiła Wioletka, a Klaus
przychylił się do jej prośby, co tu oznacza: „speł-
nił życzenie siostry, odczytując na głos wielce za-
wiły akapit i objaśniając go na bieżąco".

– „Werbalnie Zamrożone Slogany to system
porozumiewania się w sytuacjach wyjątkowych,
z wykorzystaniem ezoterycznych produktów
przechowywanych w lodówce. Wolontariusze
rozpoznają, że szyfr jest w użyciu, po obecności
wyjątkowo zi" – Klaus spojrzał na słuchaczy
znad notesu. – Tu zdanie się urywa, ale zakła-
dam, że „wyjątkowo zi" stanowi początek okre-
ślenia „wyjątkowo zielony szczypiorek". Jeżeli
więc w lodówce znajduje się wyjątkowo zielony
szczypiorek, oznacza to, że jest w niej również
tajny komunikat.

– To zrozumiałam – powiedziała Wioletka. – Ale co znaczy „ezoterycznych"?

– W tym przypadku – odparł Klaus – sądzę, że słowo to odnosi się do rzeczy niezbyt często używanych, takich, które zazwyczaj długo stoją w lodówce.

– Jak na przykład musztarda, konfitury itepe – domyśliła się Wioletka. – Już rozumiem.

– „Odbiorca komunikatu powinien najpierw odnaleźć swoje inicjały, zgodnie z wierszowaną instrukcją jednego z naszych wolontariuszy-poetów" – czytał Klaus. – Tu mamy krótki wiersz:
Najciemniejsza z trzech konfitur
Adresata ma w słoiku.

– Takie kuplety pisuje moja siostra – zauważył Quigley.

– Ale tego chyba nie napisała – rzekła Wioletka. – Szyfr wynaleziono prawdopodobnie grubo przed przyjściem twojej siostry na świat.

– I ja tak sądzę – powiedział Klaus. – Zaciekawiło mnie jednak, kto nauczył Izadorę pisać kuplety. To mógł być wolontariusz.

– Kiedy byliśmy mali, Izadora pobierała lekcje poezji – odparł Quigley. – Ale nigdy nie widziałem jej nauczyciela. Ja w tym samym czasie zawsze miałem zajęcia z kartografii.

– Dzięki twojej umiejętności sporządzania map trafiliśmy do kratery głównej – skomentowała Wioletka.

– A dzięki twoim talentom wynalazczym – rzekł Klaus – udało się wam dwojgu sforsować Górę Cug.

– A teraz wszyscy korzystamy z twojej umiejętności prowadzenia badań naukowych – zrewanżowała się bratu Wioletka. – Zupełnie jakby ktoś nas specjalnie wyuczył tych rzeczy, chociaż wcale o tym nie wiedzieliśmy.

– To fakt, nigdy nie uważałem studiowania map za szkolny obowiązek – potwierdził Quigley. – Po prostu to lubiłem.

– Nie znam się za bardzo na poezji – rzekł Klaus – ale z kupletu chyba wynika, że w słoiku z najciemniejszą konfiturą znajdziemy imię osoby, do której adresowany jest komunikat.

Wioletka spojrzała w dół na trzy słoiki konfitur.

– Mamy tu morelową, truskawkową i jeżynową. Najciemniejsza jest jeżynowa.

Klaus kiwnął głową i odkręcił słoik konfitur jeżynowych.

– Zajrzyjcie do środka – rzekł do Wioletki i Quigleya i poświecił im latarką.

Na powierzchni konfitury ktoś wyrył nożem dwie litery: J i S.

– J. S. – odczytał Quigley. – Jacques Snicket.

– To nie może być wiadomość przeznaczona dla Jacques'a Snicketa – zaoponowała Wioletka. – On nie żyje.

– Może autor wiadomości jeszcze o tym nie wie – zauważył Klaus, po czym podjął lekturę swoich notatek: – „W razie potrzeby o terminie zebrania informuje specjalnie spreparowany kalendarz na bazie owocowo-warzywnej. Niedzielę oznacza w nim poje"… Tu znów brak tekstu, ale moim zdaniem dni tygodnia, w których może się odbyć zebranie, zaszyfrowano za pomocą oliwek:

jedna oliwka to niedziela, dwie to poniedziałek, i tak dalej.

– Ile oliwek jest w tej puszce? – spytał Quigley.

– Pięć – odparł Klaus, krzywiąc się z niesmakiem. – Policzyłem je, choć niechętnie. Odkąd Szpetni częstowali nas stale wodnym martini, straciłem jakoś apetyt na oliwki.

– Pięć oliwek, czyli czwartek – powiedziała Wioletka.

– A dziś mamy piątek – rzekł Quigley. – Więc zebranie wolontariuszy odbędzie się za niecały tydzień.

Baudelaire'owie przytaknęli i Klaus znów otworzył swój notatnik.

– „Produkt na bazie przypraw – odczytał – opatrzony jest zaszyfrowaną nalepką, odsyłającą wolontariusza do zaszyfrowanej poezji".

– Nie rozumiem – przyznał się Quigley.

Klaus westchnął i wziął do ręki słoik musztardy.

– Tu właśnie sprawa się poważnie komplikuje – powiedział. – Musztarda jest produktem na bazie przypraw, więc, zgodnie z zaszyfrowaną wiadomością, to ona powinna odesłać nas do jakiegoś wiersza.

– Jak musztarda może nas odesłać do wiersza? – spytała Wioletka.

Klaus uśmiechnął się.

– Ja też długo się nad tym głowiłem – powiedział. – Ale w końcu postanowiłem sprawdzić spis składników. Posłuchajcie: „Ocet, ziarno gorczycy, sól, oliwa, ostatni czterowiersz jedenastej strofy *Ogrodu Prozerpiny* Algernona Charlesa Swinburne'a, dwusodan wapnia, konserwant rzekomo naturalny". Czterowiersz – czyli cztery linijki, a strofa to inaczej zwrotka. Zakamuflowali odsyłacz do wiersza w spisie składników musztardy.

– Idealna kryjówka na tajny komunikat – orzekła Wioletka. – Nikt nigdy nie czyta dokładnie spisów składników na nalepkach. Ale czy znalazłeś ten wiersz?

Klaus zmarszczył brwi i uniósł filiżankę.

– Pod osmaloną drewnianą tabliczką z hasłem „Poezja" odkryłem stos papierów, całkowicie niemal spalonych. Jedynym wyjątkiem był ten skrawek: ostatni czterowiersz jedenastej strofy *Ogrodu Prozerpiny* Algernona Charlesa Swinburne'a.

– Co za szczęście! – zauważył Quigley.

– Podejrzanie wielkie szczęście – odparł Klaus. – Biblioteka spłonęła doszczętnie, a ocalał jeden jedyny fragment wiersza, akurat ten, który jest nam potrzebny. To nie może być zbieg okoliczności. – Klaus zademonstrował świstek Wioletce i Quigleyowi. – Zupełnie jakby ktoś wiedział, że akurat tego będziemy szukać.

– Jak brzmi ten czterowiersz? – spytała Wioletka.

– Niezbyt optymistycznie – odrzekł Klaus. Poświecił na tekst latarką i odczytał:

Że żywym żyć wiecznie nie dano,
Że martwi nie zmartwychwstaną,
Że nawet najdłuższa z rzek
Gdzieś w morzu kończy swój bieg.

Dzieci zadrżały i nie wstając z ziemi, przysunęły się bliżej do siebie. Zapadł już zmrok i widać było tylko krąg światła latarki Klausa. Jeśli zdarzyło wam się kiedyś siedzieć w ciemności z latarką, znacie pewnie niemiłe uczucie, że tuż za kręgiem światła czai się coś groźnego – a w takiej sytuacji czytanie wiersza o nieboszczykach na pewno nie poprawia człowiekowi nastroju.

– Szkoda, że nie ma tutaj Izadory – powiedział Quigley. – Wytłumaczyłaby nam, co znaczy ten wiersz.

– „Nawet najdłuższa z rzek gdzieś w morzu kończy swój bieg" – powtórzyła Wioletka. – A może to się odnosi do ostatniej bezpiecznej kryjówki, jak sądzicie?

– Nie wiem – odparł Klaus. – I nie znalazłem nic więcej, co mogłoby nam pomóc.

– Ani o soku z cytryny? – spytała Wioletka. – Ani o korniszonie?

Klaus pokręcił przecząco głową, czego w ciemności i tak prawie nie było widać.

– Komunikat mógł być dłuższy – powiedział – ale reszta spłonęła. A w bibliotece nie ma już, moim zdaniem, nic przydatnego.

Wioletka wzięła od brata skrawek kartki i przyjrzała się bacznie czterowierszowi.

– Tu jest jeszcze jakiś napis ołówkiem – zauważyła. – Ale tak blady, że nie daje się odczytać.

Quigley sięgnął do plecaka.

– Zapomniałem, że mamy dwie latarki – rzekł i skierował drugi snop światła na skrawek wiersza. Rzeczywiście, przy ostatnim czterowierszu jedenastej strofy widniało jedno słabo widoczne słowo. Wioletka, Klaus i Quigley pochylili się nad karteczką, wytężając wzrok. Nocny wiatr zaszeleścił cienkim papierem, dzieci zadrżały, a snopy światła zatańczyły w ciemności, ale po chwili znów skupiły się na bladym napisie, ujawniając jego treść.

– „Cukiernica!" – odczytali chórem Wioletka, Klaus i Quigley i spojrzeli po sobie ze zdumieniem.

– Co to może znaczyć? – spytał Klaus.

Wioletka westchnęła.

– Pamiętasz – rzekła do Quigleya – jak siedzieliśmy schowani pod samochodem? Któryś z tych łotrów wspomniał wtedy, że szukają cukiernicy.

Quigley kiwnął głową i wyciągnął swój notes.

– Jacques Snicket również wspomniał kiedyś o cukiernicy – powiedział. – To było w bibliotece Doktora Montgomery'ego. Mówił, że znalezienie cukiernicy to sprawa najwyższej wagi. Zanotowałem to na samej górze strony, zostawiając pod spodem miejsce na wszelkie dalsze informacje dotyczące zaginionej cukiernicy. – Tu pokazał Baudelaire'om pustą stronę. – Niestety, niczego więcej się nie dowiedziałem.

Tym razem westchnął Klaus.

– Wygląda na to, że im więcej się dowiadujemy, tym więcej otacza nas tajemnic. Dotarliśmy do kwatery głównej WZS, rozszyfrowaliśmy komunikat, a wciąż wiemy tylko tyle, że istnieje jakaś ostatnia bezpieczna kryjówka, w której wolontariusze zbiorą się we czwartek.

– To nie tak mało – zauważyła Wioletka – o ile Słoneczko zdoła ustalić, gdzie mieści się ta ostatnia bezpieczna kryjówka.

– Tylko jak wyrwiemy Słoneczko z łap Hrabiego Olafa? – zmartwił się Klaus.

– Mamy widelcowe raki – przypomniał mu
Quigley. – Możemy po raz drugi wspiąć się na
wodospad i wykraść Słoneczko.

Wioletka pokręciła przecząco głową.

– Gdy tylko zauważą zniknięcie Słoneczka,
znajdą nas bez trudu. Z Góry Cug widać wszystko i wszystkich w promieniu wielu mil, a jesteśmy w zdecydowanej mniejszości.

– To prawda – przyznał Quigley. – Łotrów na
górze jest dziesięciu, a nas tylko czworo. Jak
w takim razie uratujemy Słoneczko?

– Olaf ma w garści kogoś, kogo kochamy –
myślał głośno Klaus. – Gdybyśmy my zdobyli
coś, co on kocha, moglibyśmy wymienić to coś
na Słoneczko. Co kocha Hrabia Olaf?

– Pieniądze – odparła Wioletka.

– Ogień – odparł Quigley.

– Pieniędzy nie mamy – rzekł Klaus. – A za
ogień Olaf na pewno nie odda nam Słoneczka.
Musi być jeszcze coś, co Olaf bardzo kocha, coś,
co go uszczęśliwia i czego strata bardzo by go
unieszczęśliwiła.

Wioletka z Quigleyem wymienili uśmiechy.

– Hrabia Olaf kocha Esmeraldę Szpetną – powiedziała Wioletka. – Gdybyśmy uwięzili Esmeraldę, moglibyśmy się z nim targować.

– To prawda – przyznał Klaus. – Tylko że nie więzimy Esmeraldy.

– Ale możemy ją uwięzić – odezwał się Quigley, po czym zapadła cisza.

Uwięzić kogoś to, rzecz jasna, przestępstwo, a kiedy człowiek myśli o popełnieniu przestępstwa – nawet jeśli skłaniają go ku temu ważkie powody – zaczyna sam po trosze czuć się przestępcą. Baudelaire'owie, którym od pewnego czasu zdarzało się chadzać w przebraniu albo współuczestniczyć w podpalaniu wesołego miasteczka, coraz częściej czuli się jak przestępcy. Jednak tak wielkiego przestępstwa jak uwięzienie kogoś Wioletka z Klausem nigdy jeszcze nie popełnili – a patrząc na Quigleya, który po ciemku snuł przestępczy plan, czuli wyraźnie, że i jemu jest z tej racji równie nieswojo.

– Jak to zrobić? – spytał szeptem Klaus.

– Moglibyśmy ją tu zwabić i schwytać w pułapkę – poddała pomysł Wioletka.

Quigley zanotował coś w swojej księdze cytatów.

– Można by się posłużyć Wysokokaloryczny-
mi Zielonymi Sygnalizatorami – powiedział. –
Esmeralda uważa je za papierosy, a papierosy, jej
zdaniem, są w modzie. Gdybyśmy kilka zapalili,
zwęszyłaby dym i może zeszłaby tu na dół.

– I co wtedy? – spytał Klaus.

Wioletka zadrżała z zimna i sięgnęła do kieszeni. Natrafiła najpierw na wielki nóż do chleba, o którym już prawie zapomniała, ale zaraz
potem znalazła to, o co jej chodziło. Wyciągnęła
wstążkę i przewiązała sobie włosy, żeby nie leciały jej do oczu. Najstarsza z Baudelaire'ów z niedowierzaniem uświadomiła sobie, że po raz
pierwszy talent wynalazczy ma jej posłużyć do
skonstruowania pułapki.

– Najłatwiejszą do skonstruowania pułapką –
powiedziała – jest dół w ziemi. Można wykopać
głęboki dół i przykryć z wierzchu nadpalonymi
deskami, żeby Esmeralda go nie zauważyła.

Drewno skruszało od ognia, więc gdy Esmeralda wejdzie na deski...

Wioletka nie dokończyła zdania, ale przy blasku latarki zobaczyła, że Klaus z Quigleyem już kiwają głowami.

– Myśliwi używali takich pułapek od stuleci, do chwytania dzikich zwierząt – rzekł Klaus.

– To mi nie poprawia samopoczucia – powiedziała Wioletka.

– Tylko jak wykopiemy taki głęboki dół? – zastanowił się Quigley.

– No cóż – odparła Wioletka. – Narzędzi nie mamy, więc musielibyśmy go wykopać rękami. I trzeba znaleźć coś do wynoszenia ziemi z większej głębokości.

– Mam jeszcze ten dzbanek – przypomniał sobie Klaus.

– No i warto by zadbać o to, żebyśmy sami nie utknęli we własnej pułapce – dodała Wioletka.

– Mam w plecaku linę – powiedział Quigley. – Przywiążemy jeden koniec do łuku bramy biblioteki i po linie wygramolimy się z powrotem.

Wioletka dotknęła ziemi, która była bardzo zimna, ale sypka – wyglądało na to, że bez większego trudu uda się wykopać w niej dół.

– Tylko czy to jest słuszne? – zaniepokoiła się na nowo Wioletka. – Czy uważacie, że to samo zrobiliby nasi rodzice, gdyby tu byli?

– Naszych rodziców tu nie ma – przypomniał jej Klaus. – W każdym razie już ich tu nie ma, nawet jeśli kiedyś byli.

Dzieci znowu zamilkły, siląc się na trzeźwe myślenie, pomimo zimna i ciemności. Z wyborem słusznego działania w trudnej sytuacji jest trochę tak, jak z wyborem odpowiedniego stroju na przyjęcie. Dosyć łatwo ustalić, czego włożyć na przyjęcie nie wypada – na przykład kombinezonu nurka głębinowego, albo dwóch wielkich poduszek – natomiast pytanie, w czym wypada wystąpić, jest znacznie bardziej podchwytliwe. Może nam się, dajmy na to, zdawać, że wystarczy włożyć na przyjęcie granatowy garnitur, a tymczasem okaże się, że w identycznych garniturach przybyło jeszcze kilku gości – skutkiem czego lądujemy w kajdankach, gdyż pomylono nas z kimś innym. Albo uznamy za całkiem stosowne wystąpić na przyjęciu w swoich ulubionych butach – a tu nagle salę bankietową zalewa powódź i nasze buty nadają się tylko do wyrzucenia. Możemy też dojść do wniosku, że najlepiej udać się na przyjęcie w rycerskiej zbroi, a na miejscu okaże się, że gości w rycerskich zbrojach jest więcej i znów wezmą nas za kogoś innego, w związku z czym fala nagłej powodzi porwie nas do morza i dryfując będziemy pluć sobie w brodę, że nie włożyliśmy tym razem raczej kombinezonu nurka.

Prawda jest taka, że o tym, czy ubraliśmy się właściwie, dowiadujemy się zawsze dopiero po przyjęciu, a wtedy jest już za późno na zmianę decyzji, i dlatego na świecie roi się od ludzi, którzy robią straszne rzeczy i ubierają się koszmarnie, a tak niewielu jest wolontariuszy, zdolnych ich przed tym powstrzymać.

– Nie wiem, czy to jest słuszne – powiedziała Wioletka. – Ale Hrabia Olaf porwał Słoneczko, więc może teraz my musimy kogoś porwać, żeby je nam oddał.

Klaus z powagą pokiwał głową.

– Będziemy zwalczać ogień ogniem.

– No to do roboty – zarządził Quigley i pierwszy wstał z ziemi. – O wschodzie słońca zapalimy Wysokokaloryczne Zielone Sygnalizatory, znów za pomocą lusterka, tak jak wtedy, gdy wysyłaliśmy sygnał do Słoneczka.

– Skoro pułapka ma być gotowa o świcie – rzekła Wioletka – to musimy kopać przez całą noc.

– W którym miejscu? – spytał Klaus.

– Przed bramą biblioteki – zdecydowała Wioletka. – Tam, gdy Esmeralda będzie już blisko, schowamy się za filarem.

– Jak poznamy, czy wpadła w pułapkę, skoro tego nie zobaczymy? – spytał Quigley.

– Ale usłyszymy – odparła Wioletka. – Usłyszymy trzask pękających desek, a Esmeralda pewnie zacznie wrzeszczeć.

Klaus zadygotał.

– Nie będą to przyjemne odgłosy.

– Cała sytuacja nie jest przyjemna – powiedziała Wioletka, i miała rację. Kopanie dołu gołymi rękami w zasypanej popiołem ziemi u wejścia do spalonej biblioteki, i to na klęczkach, przy świetle dwóch latarek, w podmuchach czterech wiatrów wiejących z czterech stron doliny, na pewno nie należało do przyjemności. Nie było też przyjemnie Wioletce i jej bratu wynosić z dołu ziemię w dzbanku, podczas gdy Quigley mocował koniec liny do filaru żelaznego łuku, aby mieli jak się wydostać z coraz głębszego dołu, rozwierającego się jak wielka paszcza, gotowa pożreć ich wszystkich. Nie było nawet przyjemnie zrobić małą przerwę i schrupać marchewkę dla uzupełnienia zapasów energii, ani patrzeć na biały jęzor zamarzniętego wodospadu, lśniący w blasku księżyca, i wyobrażać sobie, jak Esmeralda Szpetna, zwabiona dymem Wysokokalorycznych Zielonych Sygnalizatorów, zstąpi z góry do ruin kwatery głównej, aby zostać ich więźniem. Ale najmniej przyjemna w całej sytuacji nie była ani zziębnięta ziemia, ani mroźne wiatry, ani nawet zmęczenie, narastające wraz z nocą i pogłębianiem się wykopu. Najmniej przyjemna ze wszystkiego była myśl, która dręczyła zarówno Baudelaire'ów, jak i ich nowego przyjaciela – że być może dopuszczają się czynu haniebnego.

Dzieci wcale nie były pewne, czy wykopanie głębokiego dołu-pułapki dla pojmania osoby, którą będzie można zaproponować łotrowi w ramach wymiany jeńców, jest czynem, który popełniliby ich rodzice albo inni wolontariusze. Ale tyle już sekretów WZS obróciło się w popiół, że niczego nie można było być pewnym – i właśnie ta niepewność doskwierała sierotom z każdym dzbankiem ziemi wyniesionej z wykopu, z każdym wspięciem się po linie i z każdą nadwątloną deską, układaną dla niepoznaki nad dołem-pułapką.

Gdy na mglistym horyzoncie błysnęły pierwsze promienie słońca, Baudelaire'owie podnieśli wzrok na wodospad. Wiedzieli, że na najwyższym szczycie Gór Grozy przebywa banda łotrów, od których Słoneczko – oby! – uzyskuje podstępnie informację o tym, gdzie mieści się ostatnia bezpieczna kryjówka wolontariuszy. Lecz gdy następnie Wioletka z Klausem spojrzeli w dół na dzieło własnych rąk, gdy zajrzeli w ciemny, głęboki dół, który wykopali do spółki z Quigleyem, nabrali wątpliwości, czy przypadkiem i oni nie są bandą łotrów – tyle że przebywającą u stóp śliskiego zbocza. Patrząc na owoc swego haniebnego czynu, trójka młodych wolontariuszy siłą rzeczy czuła się po trosze łotrami – a było to najmniej przyjemne uczucie na świecie.

Nie tak dawno temu
w szwedzkim mieście
Sztokholmie, grupa
rabusiów banko-
wych pojmała
w trakcie
swoich
działań

kilkoro zakładników. Przez kilka dni rabusie i zakładnicy żyli w ścisłych kontaktach, co tu oznacza: „siedzieli razem, dopóki otaczająca bank policja nie aresztowała w końcu złodziei i nie zabrała ich do więzienia". Jednak po uwolnieniu zakładników przez władze okazało się, że zaprzyjaźnili się oni z rabusiami – i od tamtego czasu wyrażenie „syndrom sztokholmski" oznacza sytuację, w której pojmany nawiązuje przyjazne stosunki ze swoimi porywaczami.

Jest jednak i inne określenie, opisujące sytuację znacznie częstszą, w której pojmany bynajmniej nie zaprzyjaźnia się z porywaczami, lecz przeciwnie: uważa ich za łotrów i traktuje z pogardą, rozpaczliwie szukając okazji do ucieczki. Wyrażenie to brzmi: „syndrom Góry Cug" – i tego właśnie syndromu doświadczało Słoneczko, stojąc na szczycie Góry Cug, patrząc w dół na zamarznięty wodospad i rozmyślając o swojej sytuacji.

Mała dziewczynka spędziła właśnie kolejną bezsenną noc w zakrytym naczyniu żaroodpor-

nym, które najpierw wyszorowała po pstrągu pa-
roma garściami śniegu. Oczywiście znów było
zimno, gdyż wiatry Gór Grozy wiały do środka
przez dziurki w pokrywie naczynia. Było też
znów boleśnie, bo szczękające z zimna zęby kaleczyły usteczka najmłodszej z Baudelaire'ów.
Ale głównym powodem, dla którego Słoneczko
tej nocy nie spało, była frustracja.

Mimo usilnych zabiegów szpiegowskich Słoneczku nie udało się podsłuchać rozmowy łotrów i uzyskać danych o lokalizacji ostatniego
bezpiecznego miejsca spotkań WZS ani poznać
szczegółów strasznej akcji rekrutacyjnej, plano-
wanej przez mężczyznę z brodą, ale bez włosów,
i kobietę z włosami, ale bez brody. Trupa Olafa
omawiała te tematy, gdy zasiadła do kolacji przy
płaskim głazie, jednak ilekroć Słoneczko zbliżyło się na taką odległość, że mogłoby coś usłyszeć,
dyskutanci gromili je wzrokiem i pospiesznie
zmieniali temat. Jedynym osiągnięciem Słoneczka tego wieczoru było przygotowanie posiłku,
który wszystkim smakował. Gdy banda łotrów

dostała półmisek Fałszywych Wiosennych Roga-
lików, nie tylko nikt nie kręcił nosem, ale każdy
brał dokładkę.

A jednak podczas posiłku pewien ważny
szczegół umknął uwadze Hrabiego Olafa i jego
kamratów – co Słoneczku było bardzo na rękę.
Najmłodsza z Baudelaire'ów, zgodnie z tym, co
zapowiedziała siostrze i bratu, przyszykowała na
cześć Fałszywej Wiosny mieszankę warzyw po-
zawijaną w liście szpinaku. Przepis wymagał
użycia torby grzybów, puszki orzechów wodnych
i bryły mrożonego szpinaku, który młodociana
kucharka rozmroziła pod koszulą, tak jak
uprzednio chleb na śniadanie. W ostatniej chwili Słoneczko postanowiło jednak nie korzystać
z olbrzymiego kabaczka. Wpadło bowiem na pewien pomysł, gdy Wioletka zażartowała, że kabaczek waży chyba nie mniej od Słoneczka.
W związku z tym pomysłem, zamiast siekać kabaczek zębami na drobne kawałki, Słoneczko
ukryło go za sflaczałą oponą auta Hrabiego Olafa – i oto teraz, gdy banda obwiesiów jak zwykle

zaczynała dzień od porannych kłótni, wyciągnę-
ło kabaczek z kryjówki i przeturlało go do naczynia żaroodpornego. Po drodze spojrzało w dół na
zamarznięty wodospad, który wyraźnie zaczynał
tajać w porannym słońcu. Wiedziało, że na dole
jest jego rodzeństwo wraz z Quigleyem, i chociaż
z góry nie było ich widać, Słoneczko poczuło się
raźniej na myśl, że jednak są w pobliżu i że – jeżeli jego plan się powiedzie – ono też wkrótce do
nich dołączy.

– Co ty tam robisz, berbeciu?

Słoneczko ledwo zdążyło wepchnąć kabaczek
pod pokrywę naczynia żaroodpornego, gdy usłyszało damski głos kogoś z trupy Olafa. Dwie bladolice stały przed swoim namiotem i przeciąga-
ły się w porannym słońcu.

– Kabaczek – odpowiedziało, komunikując:
„Mam pewien plan w związku z tym kabacz-
kiem, i mogę wam go spokojnie zdradzić, bo
i tak nie rozumiecie ani słowa z tego, co mówię".

– Znowu gaworzy po swojemu – westchnęła
druga bladolica. – Nabieram przekonania, że

Słoneczko to rzeczywiście bezbronne niemowlę, a nie żaden szpieg.

– Gu-gu-gu... – potwierdziło z zapałem Słoneczko, ale zanim zdążyło dodać ostatnie „gu", odchyliła się klapa namiotu Hrabiego Olafa. Łotr z narzeczoną stanęli w porannym słońcu i od razu było widać, że po nowym dniu – a była to sobota – spodziewają się czegoś wyjątkowego, bo odstawili się jak na bal, co tu oznacza: „ubrali się tak dziwacznie, że najmłodszą z Baudelaire'ów kompletnie zatkało i dlatego nie wymówiła ostatniego »gu«, chociaż taki miała zamiar". O dziwo, wyglądało na to, że Hrabia Olaf umył twarz, a poza tym miał na sobie nowiusieńki garnitur w drobny rzucik – na pierwszy rzut oka jakby w kropeczki, ale gdy Słoneczko przyjrzało się bliżej, stwierdziło, że każda kropeczka ma kształt oka, identycznego z tatuażem na nodze Olafa, symbolem WZS i wszystkimi innymi wariantami oka, które prześladowały Baudelaire'ów od owego tragicznego dnia na plaży. Hrabia Olaf w swoim nowym garniturze wyglądał więc jak cały tłum łotrów, wlepiających oczy w Słoneczko Baudelaire. Ale mniejsza o deprymujący strój Hrabiego Olafa, bo prawdziwy postrach budził ubiór Esmeraldy Szpetnej. Słoneczko nie przypominało sobie, aby kiedykolwiek widziało równie obszerną suknię. Było szczerze zdziwione, że tak wielki artykuł garderoby w ogóle zmieścił się do namiotu, pozostawiając parce łotrów choćby skrawek miejsca do spania. Suknia uszyta była z wielu warstw połyskliwej tkaniny w różnych odcieniach żółci, pomarańczy i czerwieni, powycinanych w drapieżne trójkąty, tak że każda kolejna warstwa jakby wżerała się w poprzednią, a na ramionach piętrzyły się suto czarne koronki, sterczące w dzikich zawijasach na wszystkie strony. Suknia była tak monstrualna, że Słoneczko w pierwszej chwili zupełnie nie rozumiało, po co ktokolwiek miałby coś takiego nosić – ale gdy niecna narzeczona Hrabiego Olafa stanęła bliżej, sens jej stroju ujawnił się jasno i z całym okrucieństwem. Esmeralda Szpetna przebrana była za wielki ogień.

– Cóż za przepiękny poranek! – zachwycił się zjadliwie Hrabia Olaf. – Pomyśleć tylko: jeszcze dziś moja trupa rozrośnie się jak nigdy dotąd!

– I świetnie – zawtórowała mu Esmeralda. – Przyda się każda para rąk, byśmy wspólnie mogli dokonać dzieła dla większego dobra: spalić ostatnią bezpieczną kryjówkę!

– Już widzę, jak Hotel Ostateczność staje w płomieniach! Z tej emocji otworzę chyba butelkę wina! – rozochocił się Hrabia Olaf. A Słoneczko zatkało buzię rączką, żeby nikt nie usłyszał jego cichego okrzyku radości – jasne było, że Hotel Ostateczność to właśnie ostatnie bezpieczne miejsce zgromadzeń wolontariuszy, a rozemocjonowany Olaf rzucił jego nazwę całkiem bezwiednie, co tutaj znaczy: „zapominając, że słucha go najmłodsza sierota Baudelaire".

– Już widzę, jak te wszystkie orły wzlatują pod niebo! Z tej emocji zapalę sobie chyba zielonego papierosa! – obwieściła Esmeralda. Zaraz jednak zmarszczyła gniewnie brwi: – Tylko że nie mam już papierosa. Psiakość!

– Proszę wybaczyć, Wasza Esmeraldość – wtrąciła nieśmiało jedna z bladolicych – ale widzę zielony dym tam w dole, pod wodospadem.

– Naprawdę? – zainteresowała się żywo Esmeralda i spojrzała w kierunku wskazanym przez pracownicę Olafa. Słoneczko również tam zerknęło i ujrzało znajomy pióropusz zielonego dymu, snujący się od podnóża zbocza i ogromniejący, w miarę jak wznosił się w górę. Najmłodsza z Baudelaire'ów zaciekawiła się, czemu rodzeństwo nadaje do niej sygnał, i co ów sygnał miałby znaczyć.

– Dziwna sprawa – rzekł Olaf. – Zdawałoby się, że z kwatery głównej nie zostało już nic do spalenia.

– Patrz, ile tego dymu! – zachwyciła się łakomie Esmeralda. – Tam musi być cała paczka papierosów. Mamy jeszcze lepszy dzień, niż przypuszczałam!

Hrabia Olaf uśmiechnął się, ale zaraz odwrócił wzrok od wodospadu i dopiero wtedy zauważył Słoneczko.

– Poślę dzieciaka na dół, niech ci je przyniesie – powiedział do Esmeraldy.

– Tajesst! – zgodziło się nader skwapliwie Słoneczko.

– Dzieciak na pewno ukradłby wszystkie papierosy dla siebie – rzekła Esmeralda, patrząc wrogo na małą dziewczynkę. – Pójdę sama.

– Przecież zanim tam zejdziesz, minie wiele godzin – zauważył Olaf. – Nie chcesz być obecna przy akcji rekrutacyjnej? Ja wprost uwielbiam zastawiać pułapki na ludzi.

– Ja też – przyznała Esmeralda. – Ale nie martw się, Olafie. Uwinę się w parę minut. Wcale nie zamierzam schodzić tam pieszo. Wezmę tobogan i zjadę na nim po wodospadzie, zanim ktokolwiek zauważy, że mnie tu nie ma.

– Psiakość! – wyrwało się Słoneczku. Zakomunikowało tym samym coś w sensie: „Taki właśnie był mój plan". Ale i tym razem nikt go nie zrozumiał.

– Zamknij się, zębolu – burknęła Esmeralda – i złaź mi z drogi.

Ominęła zamaszyście najmłodszą z Baudelaire'ów, a przy okazji Słoneczko stwierdziło, że
dół sukni obszyty jest czymś, co przy każdym
kroku Esmeraldy wydaje charakterystyczne
trzaski, dzięki którym niecna narzeczona łotra
nie tylko optycznie, lecz i akustycznie przypominała płonący ogień. Esmeralda posłała całusa
Hrabiemu Olafowi i złapała tobogan, należący
do złowrogich przybyszów.

– Zaraz wracam, kochanie! – rzuciła na poże-
gnanie Olafowi. – Dzieciakowi każ się przespać,
żeby nie widział, co tu się będzie działo.

– Esmeralda ma rację – powiedział Olaf,
uśmiechając się okrutnie do Słoneczka. – Pakuj
się do naczynia żaroodpornego. Jesteś takim pa-
skudnym, beznadziejnym stworzeniem, że nie
mogę na ciebie patrzeć.

– Święte słowa, mój piękny – zachichotała
złośliwie Esmeralda, wsiadając na tobogan. Obie
bladolice pospieszyły ochoczo, aby zepchnąć ją
w dół, a Słoneczko, posłuszne rozkazom Olafa,
zniknęło mu z pola widzenia.

Jak możecie się domyślać, widok dorosłej kobiety w obszernej, płomienistej sukni, która pruje w dół na tobogganie od źródeł Padłego Potoku ku jego rozwidlającym się nurtom wypływającym z na wpół zamarzniętego stawu u stóp wodospadu, to nie jest coś, co łatwo przegapić, nawet z daleka. Wioletka pierwsza spostrzegła barwną plamę zsuwającą się szybko po zboczu i opuściła prędko lusterko Colette, którym po raz drugi złowiła przed chwilą promienie wschodzącego słońca, aby skierować ich odbicie na Wysokokaloryczne Zielone Sygnalizatory, ułożone w stosik przed pułapką. Krzywiąc nos od gorzkiego zapachu dymu, odwróciła się do Klausa i Quigleya, którzy układali właśnie nad dołem ostatnie nadwątlone deski, aby zamaskować wykop.

– Patrzcie! – powiedziała, wskazując dziwne ruchome zjawisko.

– Myślisz, że to Esmeralda? – spytał Klaus.

Wioletka, mrużąc oczy, przyjrzała się uważnie postaci na tobogganie.

– Chyba tak – odparła. – Nikt oprócz Esmeraldy Szpetnej nie paradowałby w takim stroju.

– W takim razie schowajmy się za łukiem, zanim nas zauważy – powiedział Quigley.

Baudelaire'owie kiwnęli głowami i ostrożnie przeszli pod bramę biblioteki, uważając, aby przypadkiem nie wpaść we własnoręcznie wykopany dół.

– Cieszę się, że nie widać już wykopu – powiedział Klaus. – Ta czarna dziura przypominała mi tunel w Alei Ciemnej 667.

– To tam Esmeralda schwytała w pułapkę najpierw twoje rodzeństwo, a potem nas – wyjaśniła Wioletka Quigleyowi.

– Więc teraz my odpowiemy ogniem na ogień i schwytamy ją w pułapkę – odparł Quigley bez specjalnej satysfakcji.

– Lepiej o tym nie myślmy – westchnęła Wioletka, chociaż sama myślała o pułapce bez przerwy, odkąd wygrzebała z niej pierwszą garść ziemi i popiołów. – Niedługo znów będziemy mieli z sobą Słoneczko, i tylko to jest ważne.

– A może i tutaj mamy coś ważnego? – wtrącił się Klaus, wskazując palcem zwieńczenie łuku bramy. – Zauważyłem to dopiero teraz.

Wioletka z Quigleyem zadarli głowy i dostrzegli pięć niepozornych słówek, wyrytych wysoko, tuż pod wielkim napisem „BIBLIOTEKA WZS".

– „U nas zawsze cicho sza" – odczytał Quigley. – Co to może znaczyć, jak sądzicie?

– Mnie to wygląda na motto – orzekł Klaus. – Nad wejściem do Szkoły Powszechnej im. Prufrocka też było wyryte motto, żeby wryło się w pamięć każdemu, kto tam wchodzi.

Wioletka pokręciła głową.

– A ja jestem innego zdania – powiedziała. – Ten napis z czymś mi się kojarzy, tylko już nie pamiętam z czym.

– Faktycznie, w okolicy panuje cisza i spokój – zauważył Klaus. – Odkąd tu jesteśmy, nie widziałem ani jednego komara śnieżnego.

– Bo dym je odstrasza, zapomniałeś? – rzekł Quigley.

– No jasne! – zreflektował się Klaus i dyskretnie wyjrzał zza łuku, żeby sprawdzić, jak idzie Esmeraldzie. Barwna plama znajdowała się mniej więcej w połowie wodospadu i mknęła wprost na pułapkę przygotowaną przez dzieci.

– Bez komarów śnieżnych – powiedział Quigley – pstrągi w Padłym Potoku padną z głodu, gdyż żywią się właśnie nimi. A bez pstrągów z głodu padną orły zamieszkujące Góry Grozy. Zniszczenie kwatery głównej WZS wywołało większe spustoszenie, niż z początku sądziłem.

Klaus przytaknął mu ruchem głowy.

– Kiedy szliśmy wzdłuż Padłego Potoku, ryby kaszlały od nadmiaru popiołów w wodzie, pamiętasz, Wioletko?

Odwrócił się do siostry, lecz Wioletka słuchała go jednym uchem, gdyż usilnie wpatrywała się w słowa wyryte na bramie, przypominając sobie, skąd je zna.

– Wiem, że kiedyś to słyszałam: „U nas zawsze cicho sza"... Chyba bardzo dawno temu, kiedy ciebie, Klaus, jeszcze na świecie nie było...

– Może ktoś ci tak po prostu powiedział – zasugerował Quigley.

Wioletka spróbowała sięgnąć pamięcią jak najdalej, ale wspomnienia jej były równie mgliste jak górski krajobraz dookoła. Jak przez mgłę ujrzała twarze mamy i taty, stojącego za mamą w czarnym garniturze – tak czarnym, jak popioły kwatery WZS. Rodzice mieli otwarte usta, lecz co mówili – tego Wioletka w żaden sposób nie umiała sobie przypomnieć. Jej pamięć milczała jak grób.

– Nikt mi tego nie mówił – rzekła wreszcie. – Ktoś mi to ś p i e w a ł! Mam wrażenie, że dawno temu rodzice śpiewali mi: „U nas zawsze cicho sza", ale po co i dlaczego – nie wiem... – Otworzyła oczy i spojrzała poważnie na brata i przyjaciela. – Boję się, że robimy coś złego.

– Umówiliśmy się przecież, że będziemy zwalczać ogień ogniem – przypomniał jej Quigley.

Wioletka kiwnęła głową i wcisnęła ręce w kieszenie, znów natrafiając na kuchenny nóż. Wyobrażała sobie mroczną czeluść pułapki i wrzaski Esmeraldy, gdy tam wpadnie.

– Wiem, że tak się umówiliśmy – odpowiedziała – ale jeśli WZS rzeczywiście oznacza Wolontariat Zapalonych Strażaków, to organizacja ta zajmuje się gaszeniem pożarów. Gdyby wszyscy zaczęli zwalczać ogień ogniem, cały świat wkrótce poszedłby z dymem.

– Rozumiem, o co ci chodzi – powiedział Quigley. – Jeżeli motto WZS brzmi: „U nas zawsze cicho sza", to powinniśmy stosować metody cichsze i mniej brutalne niż chwytanie ludzi w pułapkę, choćby byli najgorszymi łotrami.

– Kiedy zajrzałem w głąb pułapki – dodał cicho Klaus – przypomniały mi się wyczytane gdzieś słowa słynnego filozofa: „Kto walczy z potworami, niechaj uważa, aby w tej walce sam nie stał się potworem. A gdy zaglądasz w otchłań, pamiętaj, że i otchłań zagląda w ciebie". – Klaus popatrzył na siostrę, na coraz bliżej widoczną Esmeraldę i na słabe deski maskujące pułapkę. – „Otchłań" – wyjaśnił – to wzniosłe słowo oznaczające głęboki dół.

Wykopaliśmy otchłań, w którą wpadnie Esmeralda. To czyn godny potwora.

Quigley kończył notować słowa Klausa w swojej księdze cytatów.

– Co się stało z tym filozofem? – zapytał.

– Umarł – odparł Klaus. – Uważam, że masz rację, Wioletko. Nie powinniśmy dopuszczać się takich podłości i okropieństw, jak Hrabia Olaf.

– No to co mamy robić? – spytał Quigley. – Słoneczko wciąż tkwi w niewoli u Olafa, a Esmeralda jest tuż-tuż. Jeśli natychmiast czegoś nie wymyślimy, będzie za późno.

Ledwie trojaczek Bagienny dokończył zdanie, zza łuku bramy dobiegły odgłosy, które przekonały całą trójkę dzieci, że już może być za późno: zgrzyt toboganu hamującego u stóp wodospadu i triumfalny chichot Esmeraldy Szpetnej. Młodzi wolontariusze wychylili się ostrożnie zza filara łuku i ujrzeli, jak niecna narzeczona łotra zsiada z toboganu. Jej twarz jaśniała chciwym uśmiechem. Lecz kiedy Esmeralda poprawiła płomienistą suknię i dała krok w stronę dymią-

cych Wysokokalorycznych Zielonych Sygnalizatorów, Wioletka nie chciała już patrzeć na to, co
będzie dalej. Spuściła odwrócone oczy – i wzrok
jej padł na trzy maski spoczywające na pobli-
skiej stercie popiołu, tam gdzie Wioletka, Klaus
i Quigley zostawili je po przybyciu na pogorzelisko kwatery głównej. Sądzili wówczas, że maski
więcej im się nie przydadzą, ale teraz najstarsza
z Baudelaire'ów zmieniła zdanie. Gdy Esmeralda zbliżyła się jeszcze o krok do pułapki, Wioletka jednym susem dopadła masek, chwyciła
pierwszą z brzegu, zakryła nią twarz – i wyszła
z ukrycia, ku zdumieniu brata i przyjaciela.

– Stój, Esmeraldo! – krzyknęła. – To pułapka!

Esmeralda stanęła jak wryta i z zaciekawie-
niem spojrzała na Wioletkę.

– Kim jesteś? – zapytała. – Nie wolno tak
znienacka zaskakiwać ludzi. To podłość.

– Jestem wolontariuszką – odparła Wioletka.

Usta Esmeraldy, umalowane grubo pomarań-
czową szminką pod kolor sukni, wykrzywił szy-
derczy grymas.

– Tu już nie ma wolontariuszy – powiedziała. – Kwatera główna została doszczętnie zniszczona!

Klaus jako drugi przywdział maskę i stanął oko w oko z niecną towarzyszką przygód miłosnych Olafa.

– Owszem, WZS straciło kwaterę główną, ale nie straciło na sile! – oświadczył dumnie.

Esmeralda spojrzała na Baudelaire'ów spod zmarszczonych brwi, jakby sama nie wiedziała, czy powinna się ich bać, czy nie.

– Możecie sobie być silni – rzekła w końcu nerwowo – ale jesteście też bardzo niskiego wzrostu. – Zaszumiała suknią i już chciała zrobić następny krok w stronę pułapki. – Poczekajcie, aż was dorwę...

– Nie! – krzyknął zamaskowany Quigley, występując ostrożnie zza filara łuku, żeby nie wpaść we własny dół. – Nie zbliżaj się, Esmeraldo! Jeszcze jeden krok, a wpadniesz w naszą pułapkę!

– Łżesz! – zarzuciła mu Esmeralda, nie ruszając się jednak z miejsca. – Chcecie zagarnąć wszystkie papierosy dla siebie.

– To nie są papierosy – powiedział Klaus. –
A my nie kłamiemy. Pod tymi deskami, na które
chciałaś wejść, znajduje się głęboki dół.

Esmeralda spojrzała na dzieci podejrzliwie.
Zachowując maksimum ostrożności – co tu
oznacza: „nie wpadając do głębokiego dołu" –
schyliła się, odsunęła na bok koniec jednej deski
i zajrzała w czeluść zmajstrowanej przez dzieci
pułapki.

– No, no, no! – powiedziała. – Faktycznie
zmajstrowaliście pułapkę. Oczywiście, i tak bym
w nią nie wpadła, ale muszę przyznać, że dół
prezentuje się niezgorzej.

– Chcieliśmy cię złapać i wymienić za Słoneczko Baudelaire – wyjaśniła Wioletka. – Ale...

– Ale nie starczyło wam odwagi – uśmiechnęła się drwiąco Esmeralda. – Wam, wolontariuszom, nigdy nie starcza odwagi, żeby poświęcić
coś dla większego dobra.

– Chwytanie ludzi w pułapkę nie jest żadnym
większym dobrem! – oburzył się Quigley. – To
zdradziecka podłość!

– Gdybyś nie był naiwnym idiotą – odparła Esmeralda – wiedziałbyś, że to w gruncie rzeczy na jedno wychodzi.

– On nie jest naiwnym idiotą – zaprotestowała Wioletka. Wiedziała, że nie warto przejmować się obelgami osoby tak niedorzecznej jak Esmeralda, ale za bardzo lubiła Quigleya, żeby w milczeniu słuchać, jak ktoś go przezywa. – To on doprowadził nas na miejsce kwatery głównej, na podstawie własnoręcznie wyrysowanej mapy.

– I jest bardzo oczytany – dodał Klaus.

Na te słowa Esmeralda zadarła głowę i zaniosła się gromkim śmiechem, trzepocząc wielką suknią, której liczne warstwy trzaskały jak buzujący ogień.

– O-czy-ta-ny! – powtórzyła szyderczym tonem. – Oczytanie, kochasiu, na nic się w życiu nie przydaje. Ja sama kiedyś, przed laty, miałam zmarnować całe wakacje na lekturę *Anny Kareniny*, ale w porę zorientowałam się, że ta głupia książka nic a nic mi nie da, więc wrzuciłam ją do kominka, i tyle. – Esmeralda podniosła jeszcze parę kawałków desek i odrzuciła je z obrzydzeniem. – Spójrzcie na swoją kwaterę główną, wolontariusze! Tyle z niej zostało, co z mojej *Anny Kareniny*. A patrzcie na mnie! Jestem piękna, modna i palę papierosy! – Esmeralda znów się zaśmiała i pogroziła dzieciom palcem. – Gdybyście stale nie ślęczeli nad książkami, już mielibyście z powrotem swoje kochane maleństwo.

– I tak je odzyskamy – oznajmiła twardo Wioletka.

– Czyżby? – spytała drwiąco Esmeralda. – A jakimż to sposobem?

– Porozmawiam z Hrabią Olafem tak, że sam odda mi Słoneczko – odparła Wioletka.

Esmeralda znów zadarła głowę i zaczęła się śmiać, ale jakby mniej szczerze niż poprzednio.

– Co masz na myśli? – spytała.

– To, co powiedziałam – odparła Wioletka.

– Hmmm – mruknęła podejrzliwie Esmeralda. – Niech no pomyślę...

Niecna narzeczona łotra zaczęła spacerować w tę i z powrotem po zamarzniętym stawie, a jej wielka suknia z każdym krokiem rozbrzmiewała trzaskami buzującego ognia.

Klaus nachylił się do siostry i spytał szeptem:

– Co ty wyprawiasz? Naprawdę wierzysz w to, że wystarczy zwyczajnie porozmawiać z Hrabią Olafem, żeby oddał nam Słoneczko?

– Nie wiem – odszepnęła Wioletka. – Ale wolę ten sposób niż chwytanie ludzi w pułapkę.

– Źle zrobiliśmy, kopiąc pułapkę – przyznał Quigley. – Ale wcale nie jestem pewien, czy dobrze zrobimy, pakując się dobrowolnie w łapy Olafa.

– Ponowna wspinaczka na Górę Cug potrwa dość długo – odparła Wioletka. – Zdążymy coś wymyślić po drodze.

– Miejmy nadzieję – rzekł Klaus. – Bo jeśli nic nie wymyślimy, to...

Nie było mu dane dokończyć przepowiedni, gdyż Esmeralda klasnęła w ręce, kierując uwagę dzieci na siebie.

– Jeżeli rzeczywiście chcecie pogadać z moim narzeczonym – oznajmiła – to mogę was nawet do niego zaprowadzić. Gdybyście nie byli tacy głupi, wiedzielibyście sami, że przebywa całkiem niedaleko.

– Wiemy, gdzie on przebywa, Esmeraldo – powiedział Klaus. – Na szczycie wodospadu, u źródła Padłego Potoku.

– W takim razie wiecie również, jak się tam dostać – odparła Esmeralda z głupkowatą miną. – Tobogan, jak wiadomo, nie wjedzie pod górę, więc, szczerze mówiąc, nie mam pojęcia, jak wrócić na szczyt.

– Już ona coś wymyśli – rzekł Quigley, wskazując Wioletkę.

Wioletka uśmiechnęła się do przyjaciela, wdzięczna za poparcie, i przymknęła oczy pod maską. Znów przypomniała sobie coś, co jej śpiewano, gdy była malutką dziewczynką. Już wymyśliła, w jaki sposób mogą wszyscy troje wraz z Esmeraldą wspiąć się na zbocze – i właśnie plan tej wspinaczki przywiódł jej na myśl od lat zapomnianą piosenkę. Może i wam ktoś ją śpiewał, gdy byliście jeszcze bardzo mali, by ukołysać was do snu lub zabawić podczas długiej jazdy samochodem, albo żeby nauczyć was tajnego szyfru. Piosenka nosi tytuł *Lezie, lezie pajączek* i jest jedną z najsmutniejszych piosenek, jakie kiedykolwiek napisano. Opowiada o pajączku, który włazi na pompę, ale za każdym razem gdy jest już w połowie drogi, z góry gwałtownie chlusta na niego woda – czy to z powodu nagłej ulewy, czy też dlatego, że ktoś nagle uruchomił pompę – i nasz pajączek spada w dół jak zmyty, aby na nowo podjąć wspinaczkę, zawsze z tym samym skutkiem.

Wioletka Baudelaire czuła się dokładnie jak ten nieszczęsny pajączek, gdy po raz ostatni forsowała ścianę wodospadu, mając po jednej ręce Quigleya, po drugiej Klausa, a z tyłu Esmeraldę Szpetną na toboganie. Zamocowawszy dwa ostatnie widelce na podeszwach butów Klausa, poleciła obu chłopcom obwiązać się w pasie skórzanymi lejcami toboganu, na którym mieli wciągnąć na szczyt niecną narzeczoną łotra. Tym razem wspinaczka na Górę Cug była szczególnie wyczerpująca, zwłaszcza po nieprzespanej nocy, poświęconej na kopanie pułapki, a ponadto istniała obawa, że mogą wszyscy czworo spłynąć z nurtem Padłego Potoku, całkiem jak ten pajączek, którego Wioletka pamiętała z dziecinnej piosenki. Lód na zboczu osłabł bowiem znacznie, podziurawiony widelcowymi rakami dwojga młodych alpinistów, zryty płozami zjeżdżającego toboganu i rozmiękczony nagłym wzrostem temperatury w przededniu Fałszywej Wiosny. Dlatego osuwał się nieznacznie pod naciskiem wynalazków Wioletki. Był wyraźnie wyeksploatowany, prawie tak jak dzieci, i wyglądało na to, że niebawem całkiem stopnieje.

– Jazda! Jazda! – pokrzykiwała z toboganu Esmeralda, używając zawołania, którym zawodnicy na wyścigach psich zaprzęgów zagrzewają zwierzęta do szybszego biegu. Ale dzieciom wcale nie ułatwiało to zadania.

– Mogłaby już przestać – mruknęła zza maski Wioletka. Postukała świecznikiem w zmarzlinę nad głową, odłupując małą bryłkę lodu, która spadła w ruiny kwatery głównej. Wioletka popatrzyła za nią i westchnęła. Już nigdy nie zobaczy kwatery głównej WZS w pełnej krasie. Ani ona, ani żadne z pozostałych Baudelaire'ów. Nigdy nie będzie gotowała w kuchni z widokiem na rozwidlający się Padły Potok, gawędząc z innymi wolontariuszami. Klaus nigdy się nie dowie, jak przyjemnie jest siedzieć w bibliotece i poznawać sekrety WZS w jednym z licznych wygodnych foteli z podnóżkiem. Słoneczko nigdy nie będzie miało okazji uruchomić projektora w sali kinowej ani poprzymierzać sztucznych wąsów w centrum przebierańców, ani przyjść na podwieczorek do saloniku i schrupać migdałowe ciasteczko, upieczone według przepisu mojej babci. Wioletka nigdy nie przestudiuje składów chemicznych substancji w jednym z sześciu laboratoriów WZS, Klaus nie poćwiczy na równoważni w sali gimnastycznej, a Słoneczko nie stanie w godzinach dyżuru za kontuarem lodziarni i nie będzie serwowało lodów waniliowo-karmelowych trenerom pływackim. No i żadne z Baudelaire'ów nie pozna osobiście legendarnych postaci organizacji, na przykład głównego mechanika pana C. M. Kornblutha czy dr. Izaaka Anwhistle'a, na którego wszyscy mówili Ike, czy też owego dzielnego wolontariusza, który wyrzucił cukiernicę przez kuchenne okno, aby nie spłonęła w pożarze, i patrzył za nią, gdy odpływała na falach jednej z odnóg Padłego Potoku. Baudelaire'owie nigdy nie zaznają żadnego z tych doświadczeń, tak jak ja nigdy już nie ujrzę mojej ukochanej Beatrycze ani nie odzyskam korniszona pozostawionego w lodówce, aby umieścić go w stosownym miejscu, czyli w arcyważnej zaszyfrowanej kanapce. Wioletka, naturalnie, nie miała pojęcia o tym, czego nigdy nie doświadczy, a jednak spoglądała w dół na rozległe pogorzelisko kwatery głównej z przykrym uczuciem, że cała jej wyprawa w Góry Grozy okazała się równie bezowocna, jak wspinaczka na pompę małego pajączka z piosenki, której nigdy nie lubiła.

— Jazda! — krzyknęła znów Esmeralda z okrutnym chichotem.

– Przestań, Esmeraldo! – zawołała do niej z góry zirytowana Wioletka. – Ta twoja głupia „jazda!" tylko opóźnia naszą wspinaczkę.

– Może i lepiej, że opóźnia – mruknął do siostry Klaus. – Im dłużej drapiemy się na szczyt, tym więcej mamy czasu na obmyślenie, co powiedzieć Hrabiemu Olafowi.

– Możemy go postraszyć, że jest otoczony przez wolontariuszy, którzy go aresztują, jeśli nie uwolni Słoneczka – zaproponował Quigley.

Wioletka pokręciła głową w masce.

– Nie uwierzy – powiedziała, wbijając widelcowy rak w lód wodospadu. – Z Góry Cug widzi przecież wszystko i wszystkich. Zaraz się zorientuje, że jesteśmy jedynymi wolontariuszami w okolicy.

– Musi być jakieś wyjście – oświadczył stanowczo Klaus. – Niemożliwe, żeby nasza wyprawa w góry poszła na marne.

– Jasne, że nie – rzekł Quigley. – Spotkaliśmy się przecież i rozwiązaliśmy przynajmniej część dręczących nas tajemnic.

– Ale czy to wystarczy do pokonania tych łotrów na szczycie? – spytała Wioletka.

Było to trudne pytanie, na które ani Klaus, ani Quigley nie znali odpowiedzi, więc zamiast gubić się w domysłach – co tu oznacza: „tracić cenną energię na dalsze dyskusje" – postanowili odnaleźć się w bieżącej sytuacji – co tu oznacza: „kontynuować trudną wspinaczkę w milczeniu aż do chwili, gdy staną u źródła Padłego Potoku". Gdy już sami dźwignęli się na płaski szczyt, przysiedli na jego krawędzi, szarpiąc z całej siły rzemienne lejce sań. Wciągnięcie toboganu z Esmeraldą Szpetną na Górę Cug okazało się zadaniem tak trudnym, że dzieci nie zauważyły nawet, kto stoi w pobliżu. Nagle za ich plecami rozległ się znajomy, skrzekliwy głos.

– Stój, kto idzie!? – spytał groźnie Hrabia Olaf.

Zdyszane po wspinaczce dzieci odwróciły się i ujrzały łotra, który w towarzystwie dwóch złowrogich postaci stał przy swoim długim, czarnym automobilu i podejrzliwie obserwował zamaskowanych wolontariuszy.

– Spodziewaliśmy się, że nadejdziecie szlakiem – rzekł mężczyzna z brodą, ale bez włosów – a nie że będziecie się wspinać po wodospadzie.

– Nie, nie, nie! – pospieszyła z wyjaśnieniem Esmeralda. – To nie są ci, na których czekacie. To wolontariusze. Znalazłam ich w rejonie kwatery głównej.

– Wolontariusze? – zdziwiła się kobieta z włosami, ale bez brody, a jej głos zabrzmiał jakoś mniej basowo i donośnie niż zwykle. Troje łotrów przyjrzało się dzieciom z marsowym zakłopotaniem, tak jak przedtem Esmeralda: wyraźnie nie wiedzieli, czy mają się bać, czy śmiać. Tymczasem wkoło zeszli się ludzie Olafa – hakoręki, obie bladolice i trójka byłych pracowników wesołego miasteczka – zaciekawieni, czemu ich niecny szef tak nagle zamilkł. Baudelaire'owie, mimo zmęczenia, pospiesznie rozwiązali rzemienne lejce, którymi byli opasani, i wraz z Quigleyem stawili czoło wrogom. Bali się strasznie, to oczywiste, ale stwierdzili, że z zasłoniętymi twarzami mogą śmiało wyłożyć kawę na ławę, co tu oznacza: „udać przed Hrabią Olafem i jego kompanami, że nie boją się ich nic a nic".

– Zastawiliśmy pułapkę na twoją narzeczoną, Olafie – oznajmiła Wioletka – ale nie skorzystaliśmy z niej, nie chcąc stać się takimi potworami jak ty.

– Łżą bezczelnie! – wrzasnęła Esmeralda. – Próbowali zachachmęcić papierosy, więc pojmałam ich w pojedynkę i zmusiłam, żeby wtaszczyli mnie na wodospad jak psy pociągowe.

Klaus zlekceważył te wierutne bzdury.

– Przyszliśmy tu po Słoneczko Baudelaire – oświadczył. – I nie ruszymy się bez niego.

Hrabia Olaf zmarszczył brew i spojrzał na dzieci swoimi bardzo, bardzo błyszczącymi oczami, jakby chciał przewiercić wzrokiem ich maski.

– A skąd pewność, że wydam wam więźnia na żądanie?

Wioletka rozejrzała się gorączkowo za czymkolwiek, co podsunęłoby jej pomysł dalszego działania. Hrabia Olaf najwyraźniej uwierzył, że trzy zamaskowane postacie, które przed nim stoją, to członkowie WZS, a więc – w przekonaniu najstarszej z Baudelaire'ów – chodziło tylko o znalezienie właściwych słów, aby pokonać łotra, nie stając się samemu równie jak on podłym. Lecz właściwe słowa nie przychodziły na myśl ani jej samej, ani jej bratu, ani przyjacielowi, którzy stali obok w milczeniu. Wichry Gór Grozy powiały nagłym chłodem, więc Wioletka wcisnęła ręce w kieszenie, natrafiając palcem na długi nóż do chleba. Pomyślała, że może jednak trzeba było złapać Esmeraldę w pułapkę. Czoło Hrabiego Olafa rozchmurzało się powoli, a jego usta zaczęły się wyginać w triumfalny uśmiech – nim jednak zdążył przemówić, Wioletka dokonała dwóch spostrzeżeń, które natchnęły ją nową nadzieją. Po pierwsze, zauważyła notesy, fioletowy i granatowy, wystające z kieszeni jej towarzyszy – księgi cytatów, w których Klaus z Quigleyem wynotowali wszystkie informacje znalezione w zgliszczach biblioteki kwatery głównej WZS. Po drugie, zauważyła naczynia rozłożone na pła-

skim głazie, służącym trupie Olafa za stół. Przy-
muszone do posług Słoneczko pozmywało je stopionym śniegiem i zostawiło do wyschnięcia na
fałszywie wiosennym słońcu. Wioletka spostrzegła stertę talerzy, ozdobionych znajomym symbolem oka, rząd filiżanek i dzbanuszek na śmietankę. W serwisie czegoś jednak brakowało –
i dlatego Wioletka uśmiechnęła się pod maską,
zanim znów zwróciła się do Hrabiego Olafa.

 – Oddasz nam Słoneczko – powiedziała – bo
wiemy, gdzie jest cukiernica.

Trzynasty

Hrabia Olaf zastygł z wrażenia, uniósł swą pojedynczą brew wyjątkowo wysoko i wzrokiem błyszczącym jak jeszcze nigdy dotąd przeszył Baudelaire'ów oraz ich towarzysza.

– Gdzie ona jest? – zachrypiał strasznym szeptem. – Dajcie mi ją!

Wioletka pokręciła głową, wdzięczna losowi za maskę na twarzy.

– Najpierw ty oddaj nam Słoneczko Baudelaire – zażądała.

– Nigdy! – warknął łotr. – Bez tego zębatego pętaka nie dostanę fortuny Baudelaire'ów. Dawajcie mi w tej chwili cukiernicę, albo strącę was w przepaść!

– Jeżeli strącisz nas w przepaść – odparł Klaus – nigdy nie dowiesz się, gdzie jest cukiernica.

Nie dodał, rzecz jasna, że Baudelaire'owie też nie mają zielonego pojęcia, gdzie znajduje się cukiernica, ani nawet dlaczego jest taka ważna.

Esmeralda Szpetna wężowym ruchem przysunęła się do narzeczonego, trzaskając ogniście skrajem płomienistej sukni o zmarzniętą ziemię.

– Musimy dostać cukiernicę – syknęła gniewnie. – Wypuść dzieciaka. Wykombinujemy inny plan zagarnięcia fortuny.

– Ale przecież zagarnięcie fortuny to nasz cel najwyższy – zaprotestował Hrabia Olaf. – Nie możemy wypuścić dzieciaka.

– Celem najwyższym jest zdobycie cukiernicy – rozgniewała się Esmeralda.

– Fortuny – upierał się Olaf.

– Cukiernicy – obstawała przy swoim Esmeralda.

– Fortuny!

– Cukiernicy!

– Fortuny!

– Cukiernicy!

– Dość tego! – zarządził mężczyzna z brodą, ale bez włosów. – Za chwilę mamy wcielić w życie nasz plan rekrutacyjny. Nie możecie się kłócić przez cały dzień.

– Ależ nie kłócilibyśmy się przez cały dzień – rzekł potulnie Hrabia Olaf. – Najwyżej parę godzin...

– Dość! – powtórzyła rozkaz kobieta z włosami, ale bez brody. – Dawajcie tu tego dzieciaka!

– Dawajcie tu zaraz dzieciaka! – rozkazał Hrabia Olaf dwóm bladolicym. – Śpi w naczyniu żaroodpornym.

Bladolice westchnęły, ale popędziły po naczynie żaroodporne i dźwignęły je razem z dwóch stron, całkiem jak kucharki, które wyciągają brytfannę z piekarnika, a nie jak członkinie zbrodniczej szajki niosące więźnia. Tymczasem dwoje złowrogich przybyszów sięgnęło pod kombinezony po coś, co każde z nich miało zawieszone na szyi. Wioletka z Klausem ze zdumieniem poznali błyszczące srebrne gwizdki – takiego samego używał Hrabia Olaf, gdy udawał nauczyciela wuefu w Szkole Powszechnej imienia Prufrocka.

– Uważajcie teraz, wolontariusze! – zachrypiał mężczyzna z brodą, ale bez włosów, i obie tajemnicze postacie dmuchnęły w gwizdki. Natychmiast nad głowami dzieci rozległ się upiorny szum, jakby wszystkie wichry Gór Grozy zlękły się nie mniej niż Wioletka, Klaus i Quigley, a jednocześnie niebo pociemniało, jakby i słońce zakryło swe oblicze maską. Spojrzawszy w górę, dzieci dostrzegły jednak przyczynę szumu i mroku – a była ona jeszcze bardziej osobliwa niż przestraszone wichry i słońce w masce.

Niebo nad Górą Cug roiło się od orłów. Setki orłów krążyły wysoko ponad parą tajemniczych łotrów. Musiały gnieździć się w pobliżu, skoro nadleciały tak szybko, i były to zapewne orły tresowane, gdyż żaden nie wydał głosu, potęgując napięcie niesamowitej ciszy. Niektóre ptaki wyglądały na stare, bardzo stare – możliwe, że latały po niebie, gdy rodzice Baudelaire'ów byli jeszcze dziećmi. Inne z kolei wyglądały tak młodo, jakby świeżo wykluły się z jaj – a mimo to już reagowały prawidłowo na przenikliwy dźwięk gwizdka. Ale wszystkie, stare czy młode, wydawały się jednakowo zniechęcone – jakby wolały być w tej chwili gdziekolwiek indziej i robić cokolwiek innego, niż wykonywać rozkazy niegodziwców zgromadzonych na szczycie Góry Cug.

– Spójrzcie na te wspaniałe stworzenia, wolontariusze! – zawołała kobieta z włosami, ale bez brody. – W okresie schizmy można było wygrać kruka pocztowego albo tresowane gady...

– Gadów już nie – sprostował Hrabia Olaf. – Wszystkie gady z wyjątkiem jednego...

– Nie przerywać! – rozgniewała się złowroga kobieta. – Co wam z tego, że macie kruki pocztowe, skoro my dysponujemy dwoma najpotężniejszymi gatunkami ssaków na świecie: lwami i orłami? Nie macie szans.

– Orły nie są ssakami! – oburzył się Klaus. – Orły to ptaki!

– Orły to niewolnicy! – zachrypiał mężczyzna z brodą, ale bez włosów. Złowroga para sięgnęła do kieszeni kombinezonów i wydobyła z nich dwa długie, groźnie wyglądające pejcze. Wioletka z Klausem przypomnieli sobie, że takiego samego pejcza używał Olaf do terroryzowania lwów w wesołym miasteczku Karnawał Kaligariego. Tajemnicza para, z identycznymi złowieszczymi uśmiechami, strzeliła z pejczy i natychmiast, jak na komendę, cztery orły sfrunęły w dół i usiadły na watowanych naramiennikach ich kombinezonów.

– Te bestie spełnią każdy nasz rozkaz – rzekła kobieta. – A dziś przyczynią się do naszego największego triumfu.

Rozplątała rzemień pejcza i zatoczyła nim łuk tuż nad ziemią. Dopiero teraz dzieci spostrzegły ogromną sieć, rozpostartą na całej prawie powierzchni płaskiego szczytu. Skraj sieci dotykał niemal czubków ich podkutych widelcami butów.

– Na mój sygnał – ciągnęła złowroga kobieta – orły dźwigną tę sieć z ziemi, porywając pod niebo grupę młodzieży, która zdąża tu z zamiarem świętowania Fałszywej Wiosny.

– To Skauci Śnieżni! – szepnęła ze zgrozą Wioletka.

– Wyłapiemy całe to umundurowane tałatajstwo – oświadczył chełpliwie złowrogi mężczyzna – i każdemu z osobna zaproponujemy niepowtarzalną okazję przyłączenia się do nas.

– Nigdy się do was nie przyłączą – rzekł z przekonaniem Klaus.

– Przyłączą się, przyłączą, spokojna głowa – odparła basem złowroga kobieta. – Albo zostaną naszymi rekrutami, albo więźniami. Jedno jest pewne: domy ich rodziców pójdą z dymem, co do sztuki.

Baudelaire'owie zadrżeli na te słowa i nawet Hrabia Olaf minę miał ciut niewyraźną.

– Jasne – wtrącił pospiesznie – że przyświeca nam jeden główny cel: zgarnąć wszystkie ich majątki.

– Oczywiście – poparła go z nerwowym chichotem Esmeralda. – Zdobędziemy fortunę

Spatsów, fortunę Kornbluthów, fortunę Winnipegów, i mnóstwo innych. Będzie mnie stać na wszystkie najdroższe apartamenty, które jeszcze nie spłonęły!

– Powiedzcie nam tylko, gdzie jest cukiernica, wolontariusze – rzekł mężczyzna z brodą, ale bez włosów – a potem możecie odejść, razem ze swoją młodocianą przyjaciółką. Chyba że wolicie przyłączyć się do nas?

– Nie, dziękujemy uprzejmie – odrzekł Quigley. – Nie jesteśmy zainteresowani.

– Zainteresowanie nie ma tu nic do rzeczy – zapewniła go kobieta z włosami, ale bez brody. – Rozejrzyjcie się wkoło. Jesteście w zdecydowanej mniejszości. My natomiast, gdziekolwiek się obrócimy, znajdujemy wciąż nowych, chętnych do pomocy towarzyszy.

– My też mamy swoich towarzyszy – odparła mężnie Wioletka. – Gdy tylko odzyskamy Słoneczko, dołączymy do reszty wolontariuszy w ostatniej bezpiecznej kryjówce i zdradzimy im cały wasz niecny plan!

– Za późno na to, wolontariusze – oświadczył
triumfalnym tonem Hrabia Olaf. – Oto nadcho-
dzą moi nowi rekruci!

Łotr roześmiał się przeraźliwie i wskazał kamienistą ścieżkę za plecami dwóch bladolicych,
dźwigających przykryte naczynie żaroodporne.
Ścieżką nadchodzili umundurowani Skauci
Śnieżni. Szli równiutko parami, podobni bardziej do jajek w kartonowym pojemniku niż do
grupy młodzieżowej na wycieczce. Zorientowali
się widocznie, że w tych partiach Gór Grozy nie
ma komarów śnieżnych, gdyż pozdejmowali maski, dzięki czemu Wioletka i Klaus z daleka roz-
poznali wyszczerzoną od ucha do ucha Karmelitę Plujko, kroczącą w pierwszej parze,
w diademie na głowie (słowo „diadem" oznacza
tutaj „małą koronę przyznaną bez powodu nie-
grzecznej dziewczynce"). Towarzyszem Karmelity w pierwszej parze był Bruce, w jednej ręce
niosący Wiosenny Pal, a w drugiej – wielkie cygaro. Twarz Bruce'a wydała się Wioletce i Klausowi dziwnie znajoma, lecz nie mogli poświęcić

mu większej uwagi, zaabsorbowani zbrodniczym planem rekrutacyjnym.

– A co wy tu robicie, zakalce? – zagadnęła Karmelita zarozumiałym, świetnie znanym Baudelaire'om tonem. – Jako Królowa Fałszywej Wiosny rozkazuję wam natychmiast stąd odejść!

– Hola, hola, Karmelito – upomniał ją Bruce. – Jestem pewien, że ci państwo zebrali się tutaj, aby uczcić twój wielki dzień. Bądźmy aktywni, brawurowi, cierpliwi, dzielni...

Skauci podchwycili chórem recytację niedorzecznej przysięgi, ale Baudelare'owie ani myśleli czekać, aż karna grupa dobrnie do końca alfabetu.

– Bruce – przerwała im pospiesznie Wioletka. – Ci państwo wcale nie zebrali się tutaj, aby uczcić święto Fałszywej Wiosny. Zebrali się, aby porwać wszystkich Skautów Śnieżnych.

– Słucham? – odparł z rozbawieniem Bruce, jakby usłyszał doskonały żart.

– To pułapka – ostrzegł go Klaus. – Radzę natychmiast zarządzić odwrót skautów.

– Proszę nie zwracać uwagi na tych troje zamaskowanych idiotów – wtrącił skwapliwie Hrabia Olaf. – Górskie powietrze uderzyło im do głowy. Podejdźcie jeszcze parę kroków, zapraszamy do wspólnych świątecznych obchodów.

– Z miłą chęcią włączymy się do akcji – odparł Bruce. – Jesteśmy wszak aktywni, brawurowi...

– Stop! – krzyknęła Wioletka. – Nie widzicie sieci na ziemi? Nie widzicie orłów krążących w górze?

– Sieć to element dekoracji – wyjaśniła Esmeralda z uśmiechem fałszywym jak Fałszywa Wiosna. – A orły to element dzikiej przyrody.

– Uwierzcie nam! – błagał Klaus. – Grozi wam straszne niebezpieczeństwo!

Karmelita obrzuciła Baudelaire'ów pogardliwym spojrzeniem i poprawiła diadem.

– Miałabym wierzyć takim zakalcom jak wy? – spytała szyderczo. – Głupkom, co wciąż chodzą w maskach, chociaż w pobliżu nie ma ani jednego komara śnieżnego?

Wioletka z Klausem wymienili spojrzenia przez maski. Uwaga Karmelity była niegrzeczna, ale, przyznać musieli, słuszna. Nie mieli szans przekonać nikogo, że mówią prawdę, dopóki bez potrzeby zasłaniali twarze. Z niechęcią pomyśleli o zdjęciu masek i ujawnieniu się przed Hrabią Olafem i jego trupą, lecz nawet w imię ocalenia siostrzyczki nie mogli pozwolić na porwanie Skautów Śnieżnych. Baudelaire'owie kiwnęli do siebie głowami i odwrócili się do Quigleya, który zrobił to samo, po czym wszyscy troje zdjęli maski, dla większego dobra.

Olafowi szczęka opadła ze zdumienia.

– Przecież ty nie żyjesz! – zwrócił się do Wioletki wbrew oczywistym faktom. – Zginęłaś w barakowozie razem z bratem!

Esmeralda z równym niedowierzaniem gapiła się na Klausa.

– Ty też nie żyjesz! – zawołała. – Zleciałeś w przepaść!

– A ty – rzekł Olaf do Quigleya – jesteś z tych bliźniaków! Nie żyjesz od dawna!

– Nie jestem bliźniakiem. I żyję – sprostował Quigley.

– Ładni mi wolontariusze! – uśmiechnął się szyderczo Hrabia Olaf. – Żadne z was nie należy do WZS. Jesteście zwykłą bandą rozwydrzonych sierot.

– W takim razie – odezwała się basem kobieta z włosami, ale bez brody – nie ma co cackać się dłużej z tym głupim niemowlakiem.

– To prawda – przyznał Olaf i odwrócił się do bladolicych. – Zrzućcie bachora w przepaść!

Wioletka z Klausem wydali okrzyk grozy, ale dwie bladolice ani drgnęły: popatrzyły tylko na przykryte naczynie żaroodporne, potem na siebie, a w końcu na Hrabiego Olafa.

– Ogłuchłyście, czy co? – zirytował się Olaf. – Zrzućcie bachora w przepaść!

– Nie – powiedziała jedna z bladolicych, a Baudelaire'owie z ulgą spojrzeli na nią i jej koleżankę.

– Nie? – spytała z niedowierzaniem Esmeralda. – Co to znaczy: nie?

– Nie znaczy nie – odparła bladolica, a jej koleżanka kiwnęła głową. Postawiły naczynie żaroodporne na ziemi. Wioletka z Klausem ze zdumieniem stwierdzili, że pokrywa ani drgnęła, ale pomyśleli, że widocznie ich siostrzyczka ze strachu boi się wyjść.

– Odmawiamy dalszego udziału w waszych machinacjach – oświadczyła druga bladolica i westchnęła. – Przez jakiś czas to było nawet zabawne, zwalczać ogień ogniem, ale dość się napatrzyłyśmy dymu i ognia, starczy nam na całe życie.

– Nie wydaje nam się, że nasz dom spłonął do cna w wyniku nieszczęśliwego zbiegu okoliczności – rzekła pierwsza. – W tym pożarze, Olafie, straciłyśmy siostrę.

Hrabia Olaf wycelował w bladolice swój długi, kościsty paluch i wrzasnął:

– Wykonać rozkaz! Natychmiast!

Jego dwie byłe wspólniczki pokręciły tylko odmownie głowami, odwróciły się od łotra i ruszyły przed siebie. Wszyscy obecni na kwadratowym szczycie patrzyli w milczeniu, jak bladolice mijają Hrabiego Olafa, Esmeraldę Szpetną, dwoje złowrogich przybyszów z orłami na ramionach, Baudelaire'ów i Quigleya, hakorękiego, byłych pracowników wesołego miasteczka, wreszcie Bruce'a, Karmelitę Plujko i resztę Skautów Śnieżnych, a potem wchodzą na kamienistą ścieżkę, aby na dobre oddalić się od Góry Cug.

Hrabia Olaf rozdziawił usta, ryknął przeraźliwie i podskoczył ze złości na rozpostartej sieci.

– Przede mną nie uciekniecie, wy bladawce! – wrzasnął. – Dorwę was i zniszczę własnymi rękami! Wszystko potrafię zrobić własnymi rękami! Jestem samowystarczalny i nie potrzebuję niczyjej pomocy, żeby strącić tego bachora w przepaść!

Fuknął gniewnie, dźwignął z ziemi naczynie żaroodporne i, zataczając się z lekka, ruszył z nim ku krawędzi zamarzniętego wodospadu.

– Nie! – krzyknęła Wioletka.

– Słoneczko! – krzyknął Klaus.

– Czas powiedzieć dzidziusiowi pa-pa, Baudelaire'owie! – zaśmiał się triumfalnie Hrabia Olaf, odsłaniając komplet popsutych zębów.

– Ja nie dzidziuś! – zaprotestował znajomy głos spod długiego, czarnego automobilu Hrabiego Olafa. Dwoje starszych Baudelaire'ów z dumą i ulgą patrzyło, jak Słoneczko gramoli się zza przebitej przez Wioletkę opony i pędzi wprost w ramiona rodzeństwa. Klaus musiał zdjąć na chwilę okulary, aby otrzeć łzy – tak wzruszyło go długo oczekiwane spotkanie z małą dziewczynką, którą stała się jego siostrzyczka. – Ja nie dzidziuś! – powtórzyło Słoneczko, z triumfalną miną zwracając się do Olafa.

– Jak to możliwe? – stropił się Olaf, ale odpowiedź uzyskał natychmiast po zdjęciu pokrywy z naczynia żaroodpornego, którego zawartość, tych samych rozmiarów i wagi co najmłodsze z Baudelaire'ów, bynajmniej nie była dzidziusiem.

– Kabanusz! – zawołało Słoneczko, komunikując coś w sensie: „Obmyśliłam plan ucieczki z wykorzystaniem kabaczka, który sprawdził się nadspodziewanie". Tłumaczenie komunikatu nie było potrzebne, gdyż w tej samej chwili potężne warzywo wyturlało się z naczynia i z plaśnięciem wylądowało u stóp Olafa.

– Nic mi się dzisiaj nie udaje! – rozżalił się łotr. – Mycie twarzy było kompletną stratą czasu!

– Nie przejmuj się, szefie – rzekła Colette, skręcając się ze współczucia. – Słoneczko na pewno przyrządzi dla nas coś pysznego z tego kabaczka.

– To fakt, że coraz lepsza z niej kucharka – przyznał hakoręki. – Fałszywe Wiosenne Rogaliki były niczego sobie, ale ten pstrąg to już doprawdy palce lizać!

– Ja bym tam dodał trochę koperku – wtrącił się Hugo.

Baudelaire'owie, nareszcie znów we troje, nie słuchali dalej tej idiotycznej wymiany zdań, tylko odwrócili się do Skautów Śnieżnych.

– Teraz nam wierzycie? – spytała Burce'a Wioletka. – Nie widzicie, że ten człowiek to straszny łotr, który chce wam wyrządzić krzywdę?

– Nie pamiętasz nas ze Szkoły Prufrocka? – zwrócił się Klaus do Karmelity Plujko. – Hrabia Olaf knuł tam straszny plan i teraz robi to samo!

– Jasne, że was pamiętam – prychnęła Karmelita. – To przez was, sieroty, zakalce jedne, Wicedyrektor Neron miał tyle problemów. A teraz mnie chcecie popsuć mój wielki dzień! Wujku Bruce, daj mi ten Wiosenny Pal.

– Hola, hola, Karmelito! – upomniał ją Bruce, ale Karmelita już wyrwała mu długi drąg i maszerowała z nim po sieci w stronę źródła Padłego Potoku. Mężczyzna z brodą, ale bez włosów i kobieta z włosami, ale bez brody, zacisnęli ręce na pejczach i unieśli do ust błyszczące gwizdki, ale widać było wyraźnie, że zwlekają z uruchomieniem pułapki do czasu, aż cała reszta skautów wkroczy na sieć, którą dopiero wtedy orły uniosą nad ziemię.

– Koronuję się na Królową Fałszywej Wiosny! – oznajmiła Karmelita, doszedłszy na sam skraj szczytu Góry Cug. Z chichotem złośliwego triumfu rozepchnęła łokciami Baudelaire'ów i wbiła Wiosenny Pal w nadtopniały szczyt wodospadu. Rozległ się przeciągły, przejmujący trzask. Baudelaire'owie spojrzeli w dół: środkiem zamarzłego wodospadu pełzła szeroka szczelina, przesuwając się coraz niżej, ku stawowi i rozwidlającym się odnogom Padłego Potoku. Dzieci oniemiały ze zgrozy. Chociaż pękał tylko lód na wodospadzie, zdawało się, że wielka góra za chwilę rozłupie się na pół i gigantyczna schizma podzieli na dwie części cały świat.

– Na co się tak gapicie? – ofuknęła ich Karmelita. – Teraz wszyscy powinni odtańczyć taniec na moją cześć.

– Właśnie! – podchwycił Hrabia Olaf. – Zapraszamy wszystkich bliżej, do wspólnego tańca na cześć tej uroczej dziewczynki!

– Mnie to odpowiada – rzekł Kevin i wraz z kolegami wkroczył na sieć. – Jak by nie było, mam dwie równie sprawne nogi.

– A poza tym – odezwał się hakoręki – należy być aktywnym. Tak mówił Wujek Bruce, jeśli się nie mylę.

– Święta racja – potwierdził Bruce, wydmuchując dym z cygara. Humor trochę mu się poprawił, odkąd zobaczył, że kłótnie się skończyły, a skauci będą mogli odbyć swój doroczny ceremoniał. – Za mną, Skauci Śnieżni! Zatańczmy wokół Wiosennego Pala, recytując Alfabetyczną Przysięgę Skauta Śnieżnego.

Skauci z radosnym okrzykiem wbiegli za Bruce'em na sieć, recytując przy tym chórem:

– Skauci Śnieżni są aktywni, brawurowi, cierpliwi, dzielni, emblematyczni, fantazyjni, gościnni, humanoidalni, inteligentni, jowialni, karni, limitowani, ładni, młodzi, niewybredni, oficjalni, potulni, roztropni, skoszarowani, taktowni, uczesani, wielofunkcyjni, yeti, zapięci i żwawi – rano, wieczorem, w nocy, i przez cały dzień!

Nie ma, oczywiście, nic złego w tym, że człowiek składa przysięgę albo obiera sobie jakieś hasło, ujmując w słowa ważne dla siebie zasady, aby mógł je w każdej chwili przywołać i kierować się nimi w życiu. Jeśli, na przykład, uważacie, że ludzie oczytani mają mniejszą niż inni skłonność do czynienia zła i że świat pełen ludzi ślęczących w ciszy nad książkami byłby lepszy od świata pełnego schizm, wyjących syren alarmowych oraz wszelkich innych hałasów i kłopotów, to za każdym razem, gdy wchodzicie do biblioteki, możecie szepnąć sobie: „U nas zawsze cicho, sza!" – i będzie to wasze hasło, głoszące pochwałę czytelnictwa. Jeśli natomiast uważacie, że wszystkich ludzi oczytanych należałoby puścić z dymem, a ich fortuny porozkradać, to wybierzecie raczej hasło: „Ogień zwalczaj ogniem!", i tym zawołaniem zagrzewać będziecie do akcji swych towarzyszy. Lecz bez względu na to, jakie słowa uznacie za swoje życiowe motto, zdradzę wam dwie naczelne zasady dobrego tekstu hasła lub przysięgi. Zasada pierwsza: tekst musi być sensowny – jeśli, na przykład, w przysiędze pada słowo „yeti", to znaczy, że dla ślubującego bardzo ważny jest tajemniczy człowiek śniegu, nie zaś fakt, iż nie umiało się wymyślić żadnego innego słowa na literę Y. Zasada druga: tekst powinien być w miarę krótki, aby

recytujące go osoby zdążyły uciec, gdy grupa łotrów wykorzystuje uroczysty moment ślubowania do zwabienia ich w pułapkę, składającą się
z wielkiej sieci oraz stada sfrustrowanych, treso-
wanych orłów.

Z przykrością stwierdzam, że Alfabetyczna
Przysięga Skautów Śnieżnych nie jest wierna
żadnej z tych zasad. Gdy Skauci Śnieżni wyrecy-
towali chórem słowo „yeti", mężczyzna z brodą,
ale bez włosów, strzelił z bicza, a wówczas orły
siedzące na epoletach kombinezonów zatrzepo-
tały skrzydłami, wpiły się szponami w watowane
naramienniki, i uniosły złowrogą parę wysoko
w powietrze. Kiedy zaś ślubowanie dobiegło
końca i Skauci Śnieżni wzięli głęboki oddech,
aby wydać odgłos imitujący świst zadymki, kobieta z włosami, ale bez brody, dmuchnęła
w gwizdek. Świdrujący dźwięk gwizdka przypomniał Baudelaire'om mordercze biegi dookoła
trawnika, do których zmuszał ich podstępny
Olaf w Szkole Powszechnej imienia Prufrocka.
Baudelaire'owie i Quigley Bagienny patrzyli

bezradnie, jak reszta orłów pikuje ku ziemi, chwyta dziobami końce sieci i, na drżących z wysiłku skrzydłach, unosi zdobycz – czyli wszystkich znajdujących się w pułapce – tak jak sprząta się za jednym zamachem naczynia ze stołu, unosząc obrus za cztery rogi. Gdybyście spróbowali tej niezwykłej metody sprzątania ze stołu w domu lub w restauracji, natychmiast za karę posłano by was do własnego pokoju albo na ulicę. Skutki akcji orłów na Górze Cug były równie dramatyczne. W mgnieniu oka wszyscy Skauci Śnieżni i ludzie Olafa zbili się w bezładną napowietrzną kulę, w której wszyscy szamotali się ze wszystkimi. Jedyną osobą, która uniknęła rekrutacji – poza trójką Baudelaire'ów, rzecz jasna, i Quigleyem Bagiennym – była Karmelita Plujko, stojąca teraz ramię w ramię z Hrabią Olafem i jego narzeczoną.

– Co się dzieje? – zawołał z sieci Bruce do Hrabiego Olafa. – Co pan wyrabia?

– Triumfuję! – odparł Hrabia Olaf. – I to po raz drugi. Dawno temu sprzątnąłem ci sprzed nosa kolekcję gadów, której potrzebowałem do własnych celów.

Baudelaire'owie ze zdumieniem uświadomili sobie, gdzie wcześniej spotkali Bruce'a.

– A teraz sprzątnąłem ci sprzed nosa kolekcję dzieciaków! – dokończył Olaf.

– Co z nami będzie? – spytał trwożnie któryś Skaut Śnieżny.

– Mnie tam wszystko jedno – odparł inny, najwyraźniej już dotknięty syndromem szkokholmskim, który skłania ofiarę do sympatii dla prześladowcy. – Co roku wspinamy się na Górę Cug i zawsze robimy to samo. Przynajmniej tym razem jest trochę inaczej!

– Dlaczego mnie też objęła akcja rekrutacyjna? – denerwował się hakoręki, którego jeden hak dramatycznie sterczał przez oko sieci. – Przecież ja już dla ciebie pracuję.

– Spoko, hakuś! – pocieszyła go drwiąco Esmeralda. – To wszystko dla większego dobra!

– Jazda! – krzyknął mężczyzna z brodą, ale bez włosów, i strzelił z bicza.

Przerażone orły, skrzecząc głośno, pofrunęły z siecią wyżej i dalej, coraz dalej od Góry Cug.

– Teraz, Olaf, wydębisz cukiernicę od tych bezczelnych sierot – zarządziła kobieta z włosami, ale bez brody – i spotkamy się w ostatnim bezpiecznym miejscu!

– Mając orły do dyspozycji – zachrypiał złowrogi mężczyzna – dogonimy wreszcie ten samowystarczalny balonowy dom i skończymy z wolontariuszami!

Baudelaire'owie zamarli ze zgrozy i wymienili zdumione spojrzenia z Quigleyem. Najwyraźniej łotr miał na myśli machinę latającą, którą skonstruował Hektor w Wiosce Zakrakanych Skrzydlaków. Wraz z nim machiną tą uciekli Duncan i Izadora.

– Będziemy zwalczać ogień ogniem! – huknęła triumfalnym basem kobieta z włosami, ale bez brody, zanim orły uniosły ją hen, w dal.

Hrabia Olaf mruknął coś pod nosem, po czym obrócił się na pięcie i zaczął skradać się złowieszczo w kierunku Baudelaire'ów.

– Do tego, żeby się dowiedzieć, gdzie jest cukiernica, i do tego, żeby zgarnąć fortunę, wystarczy mi jedno z was – cedził przez zęby, błyskając dziko oczami. – Tylko które?

– Trudna decyzja – przyznała Esmeralda. – Z jednej strony, zabawnie było mieć na służbie niemowlę. Z drugiej strony, jeszcze zabawniej byłoby stłuc okulary Klausa i patrzeć, jak obija się o wszystko na drodze.

– Za to Wioletka ma najdłuższe włosy – zauważyła Karmelita, patrząc, jak Baudelaire'owie, a za nimi Quigley, cofają się ku pękniętej tafli zamarzniętego wodospadu. – Można by ją za nie szarpać ile wlezie albo przywiązać do czegoś, jak szarpanie się znudzi.

– Oba pomysły są znakomite – pochwalił Hrabia Olaf. – Już zapomniałem, jaka urocza z ciebie dziewczynka. Nie przyłączyłabyś się do nas?

– Przyłączyć się? – spytała Karmelita.

– Spójrz na moją stylową suknię – zachęciła ją Esmeralda. – Jeśli się do nas przyłączysz, kupię ci masę modnych strojów.

Karmelita popatrzyła z namysłem najpierw na dzieci, a potem na stojącą obok niej parkę uśmiechniętych łotrów. Baudelaire'owie i Quigley wymienili pełne zgrozy i rezygnacji spojrzenia. Wioletka, Klaus i Słoneczko doskonale pamiętali, jakim potworem była Karmelita w Szkole Prufrocka, ale dotąd nie przyszło im do głowy, że może ona zechcieć przyłączyć się do szajki jeszcze większych potworów.

– Nie ufaj im, Karmelito – ostrzegł Quigley, wyciągając z kieszeni fioletowy notatnik. – Spalą dom twoich rodziców. Mam tu na to odpowiednie dowody.

– Komu uwierzysz, Karmelito? – spytał Hrabia Olaf. – Głupiemu notesowi czy słowom osoby dorosłej?

– Spójrz tylko na nas, urocza dziewczynko – rzekła Esmeralda, muskając ziemię skrajem trzaskającej jak ogień żółto-pomarańczowo-czerwonej sukni. – Czy wyglądamy na podpalaczy domów?

– Karmelito! – krzyknęła Wioletka. – Nie słuchaj ich!

– Karmelito! – krzyknął Klaus. – Nie przyłączaj się do nich!

– Karmelito! – krzyknęło Słoneczko, komunikując coś w sensie: „Podejmujesz tragiczną w skutkach decyzję!".

– Karmelito – przemówił obrzydliwie słodko Hrabia Olaf. – Może sama wybierzesz sierotę, która ma przeżyć, a resztę zepchniesz w przepaść? Potem wszyscy razem przeniesiemy się do miłego hotelu.

– Będziesz dla nas jak córka, której sami nie mamy – zapewniła Karmelitę Esmeralda, gładząc jej diadem.

– Albo coś w tym rodzaju – dodał Olaf, z miną wskazującą na to, że wolałby mieć kolejną pracownicę niż córkę.

Karmelita raz jeszcze zerknęła na Baudelaire'ów, a potem uśmiechnęła się do parki łotrów.

– Naprawdę uważacie, że jestem urocza? – spytała.

– Ja uważam, że jesteś absolutnie urocza, bystra, ciekawa, dzielna, elegancka, fotogeniczna, grzeczna, harmonijna, inteligentna, jak najbardziej urocza, kochana, luksusowa, miła, nienaganna, oczywiście urocza, piękna, rewelacyjnie urocza, szczupła, taktowna, urocza, wyjątkowo urocza, yeti i zdumiewająco urocza – zapewniła ją Esmeralda. – Rano, wieczorem, w nocy, i przez cały dzień!

– Nie słuchaj jej! – błagał Quigley. – Przecież człowiek nie może być „yeti"!

– A niech tam! – zdecydowała się Karmelita. – Zepchnę te zakalce w przepaść i rozpocznę nowe, ekscytujące, modne życie!

Baudelaire'owie cofnęli się jeszcze o krok, a za nimi Quigley z przerażeniem w oczach. Z góry skrzeczały orły, unoszące coraz dalej rekrutów zbójeckiej szajki. Z tyłu wiały na dzieci cztery wiatry hulające w dolinie po ruinach kwatery głównej, zniszczonej przez ludzi, którym rodzice dzieci przeciwstawiali się z narażeniem życia. Wioletka sięgnęła do kieszeni po wstążkę, myśląc gorączkowo nad jakimś wynalazkiem, który pozwoliłby sierotom uciec od niegodziwców i dotrzeć do ostatniego bezpiecznego miejsca, gdzie schronili się wolontariusze. Znów musnęła palcami nóż do chleba i przez chwilę zawahała się: czy wyjąć go z kieszeni i postraszyć łotrów, czy też raczej nie, bo czyniąc to sama zachowałaby się jak łotr, który stał naprzeciwko i ani na chwilę nie spuszczał jej z oka.

– Biedni Baudelaire'owie – rzekł z fałszywym współczuciem Hrabia Olaf. – Poddajcie się, to już koniec. Jesteście w zdecydowanej mniejszości.

– To nieprawda, nie jesteśmy w mniejszości – zaprzeczył Klaus. – Nas jest czworo, a was tylko troje.

– Ja liczę się za trzy osoby, bo jestem Królową Fałszywej Wiosny – powiedziała Karmelita. – Więc jesteście w mniejszości, zakalce.

Była to oczywista bzdura – nic nowego w ustach okrutnej dziewczynki – ale nawet gdyby nie była to bzdura, liczebność grupy nie zawsze ma znaczenie. Na przykład, kiedy Wioletka z Klausem wędrowali pod Wielki Zawiany Szczyt, znaleźli się w zdecydowanej mniejszości wobec roju komarów śnieżnych, a mimo to udało im się znaleźć Quigleya Bagiennego, wspiąć się Wertykalnym Zbiornikiem Sadzy na teren kwatery głównej i znaleźć wiadomość ukrytą w lodówce. Słoneczko na Górze Cug było w zdecydowanej mniejszości wobec bandy łotrów, a jednak jakoś przeżyło, uzyskało informację o lokalizacji ostatniej bezpiecznej kryjówki i wymyśliło kilka przepisów kulinarnych na potrawy równie smaczne, jak proste w przygotowaniu. Członkowie WZS też zawsze znajdowali się w zdecydowanej mniejszości, gdyż coraz więcej jest na świecie ludzi chciwych i podłych i coraz więcej bibliotek idzie z dymem – a jednak przetrwali w konspiracji, co tu oznacza: „spotykali się potajemnie, porozumiewali szyfrem i gromadzili dowody mające zdemaskować plany wrogów". Tak więc nie zawsze najważniejsze jest, czy więcej mamy ludzi po swojej stronie schizmy, czy po przeciwnej. Przekonali się o tym Baudelaire'owie z Quigleyem, gdy cofnęli się jeszcze o krok i ujrzeli to, co w ich sytuacji było najważniejsze.

– Różyczka! – krzyknęło Słoneczko, komunikując: „W niektórych sytuacjach odpowiednia lokalizacja obiektu bywa znacznie ważniejsza niż przewaga liczebna". I była to prawda. Na oczach zdumionej pary łotrów Wioletka wsiadła na tobogan i chwyciła rzemienne lejce. Za Wioletką siadł Quigley, obejmując ją mocno w pasie, dalej Klaus, obejmując w pasie Quigleya, a za Klausem zostało akurat dość miejsca dla małej dziewczynki, więc zajęło je Słoneczko, kurczowo uczepione brata. Wioletka odepchnęła sanie i czwórka dzieci pognała w dół, na łeb na szyję, zjezdnym zboczem. To, że znajdowały się w mniejszości, nie miało chwilowo znaczenia. Chwilowo najważniejsze było, jak uniknąć marnego końca na ostatnim odcinku śliskiej stromizny – a wy, jeśli chcecie uniknąć marnego końca tej opowieści, darujcie sobie końcówkę *Zjezdnego zbocza* i poczytajcie raczej książkę, w której niegodziwcy nie wrzeszczą na dzieci, kiedy te usiłują uciec.

– Zaraz was dogonimy, Baudelaire'owie! – ryknął Hrabia Olaf.

Tobogan gnał po spękanym, topniejącym lodzie w dolinę pod Wielkim Zawianym Szczytem, podskakując i chlapiąc niemiłosiernie.

– Na pewno nas nie dogonią – powiedziała Wioletka. – Przedziurawiłam mu przecież oponę widelcem buta, nie pamiętasz?

Quigley kiwnął głową i dodał:

– A poza tym będzie musiał zjeżdżać szlakiem. Po wodospadzie samochód nie zjedzie.

– To da nam spore wyprzedzenie – stwierdziła Wioletka. – Może dzięki temu zdążymy przed Olafem dotrzeć do ostatniego bezpiecznego miejsca.

– Podsłuch! – zameldowało Słoneczko. – Hotel Ostateczność!

– Brawo, Słoneczko! – pochwaliła je z dumą Wioletka, ściągając jeden rzemień, aby oddalić sanki od ziejącej szczeliny w lodzie. – Zawsze wiedziałam, że będzie z ciebie dobry szpieg.

– Hotel Ostateczność – powtórzył Quigley. – Zdaje mi się, że mam go na którejś mapie. Sprawdzę w notesie, gdy znajdziemy się na dole.

– Bruce! – krzyknęło Słoneczko.

– Tak, to koniecznie trzeba zapisać – przyznał Klaus. – Bruce pojawił się w domu doktora Montgomery'ego pod sam koniec naszego tam pobytu. Twierdził, że przyjechał, aby zabrać całą kolekcję gadów do siedziby Towarzystwa Herpetologicznego.

– Uważasz, że może należeć do WZS? – spytała Wioletka.

– Pewności nie ma – odparł Quigley. – Sporo już rozwiązaliśmy tajemnic, a tylu rzeczy nadal nie wiemy... – Westchnął ciężko i zapatrzył się na ruiny kwatery głównej, ku którym zdążali. – Moje rodzeństwo...

Baudelaire'owie nie poznali jednak dalszego ciągu zdania o rodzeństwie Quigleya, bo w tej właśnie chwili – mimo wysiłków Wioletki, która sterowała, jak mogła – tobogan wpadł w poślizg na podmytym odcinku lodu i zaczął wirować wokół własnej osi. Dzieci podniosły pisk, Wioletka z całej siły ściągnęła lejce – i nagle oba rzemienie pękły jej w rękach.

– Straciliśmy układ sterowniczy! – krzyknęła Wioletka. – Lejce nadwerężyły się widocznie przy wciąganiu na szczyt Esmeraldy Szpetnej!

– Auaa! – wrzasnęło Słoneczko, komunikując: „Nie brzmi to jak szczególnie dobra wiadomość".

– Przy tej prędkości – oceniła błyskawicznie Wioletka – tobogan nie zatrzyma się na zamarzniętym stawie. Jeżeli nie zdołamy wyhamować, wpadniemy w dół, któryśmy sami wykopali.

Klausowi zakręciło się w głowie od dzikiego wirowania, zamknął więc oczy za okularami.

– Co robić? – spytał.

– Szorować butami po lodzie! – odkrzyknęła Wioletka. – Widelce pomogą nam zwolnić!

Dwoje starszych Baudelaire'ów natychmiast zaczęło ryć resztki lodu widelcami butów. Quigley poszedł za ich przykładem. Tylko Słoneczko, które, rzecz jasna, nie miało na nogach widelcowych raków, musiało poprzestać na słuchaniu zgrzytów i chlupotów, wydawanych przez widelce w zetknięciu z topniejącym lodem. Tobogan zwalniał, ale ledwo-ledwo.

– To nie wystarczy! – krzyknął Klaus. Ponieważ tobogan wciąż zjeżdżał ruchem wirowym, Klausowi co chwila migał przed oczami własnoręcznie wykopany dół, przykryty cienką warstwą nadwątlonych desek. Widać go było coraz bliżej, bo sanie z czwórką dzieci zbliżały się w szaleńczym tempie do stóp wodospadu.

– Hamigazu? – spytało Słoneczko, komunikując coś w sensie: „Czy mam zacząć szorować zębami?".

– Warto spróbować – odparł Klaus, ale ledwo najmłodsze z Baudelaire'ów zdążyło się nachylić i wbić zęby w topniejący lód, wszyscy stwierdzili, że i to nic nie da, bo tobogan dalej wirował i gnał nieuchronnie w dół.

– To też na nic! – krzyknęła Wioletka i wytężyła swój wynalazczy umysł, przypominając sobie, jak do spółki z bratem zatrzymali barakowóz, odcięty od automobilu Hrabiego Olafa. Tym razem nie mieli nic wystarczająco dużego, co mogłoby posłużyć za spadochron opóźniający. Najstarsza z Baudelaire'ów pożałowała wręcz, że nie towarzyszy im Esmeralda Szpetna, której obszerna, płomienna suknia mogłaby wyhamować pęd toboganu. Nie dysponowali też melasą, miodem z dzikiej koniczyny, syropem kukurydzianym, zwietrzałym kctchupcm, musem jabłkowym, dżemem truskawkowym, sosem karmelowym, syropem klonowym, lukrem waniliowym, likierem maraschino, oliwą z oliwek, zwykłą, ani z pierwszego tłoczenia, kandyzowaną skórką cytrynową, suszonymi morelami, konfiturą z mango, *crema di noci*, pastą tamaryndową, ostrą musztardą, galaretką owocową, przecierem kukurydzianym, masłem orzechowym, winogronami w syropie, kremem o smaku toffi, mlekiem skondensowanym, musem z dyni, klejem ani żadną inną lepką substancją. Wioletce przypomniał się jednak jeszcze stolik, którym szorowała po ziemi za barakowozem. Sięgnęła do kieszeni – i już wiedziała, co powinna zrobić.

– Trzymajcie się! – zawołała. Sama jednak, zamiast się trzymać, puściła resztki lejców i wyrwała wreszcie z kieszeni długi kuchenny nóż. Minęło zaledwie parę dni, lecz Wioletce zdawało się, że już bardzo dawno temu wyniosła nóż z barakowozu, aby potem co chwila natrafiać w kieszeni na jego chropawe ostrze przy próbach pokonania łotrów, ale tak, żeby samej nie dołączyć do ich grona. Teraz nareszcie mogła użyć noża do ratowania ludzkiego życia, nie czyniąc nikomu krzywdy. Zacisnęła zęby, wychyliła się z wirującego tobogonu i z całej siły wbiła nóż w lód zjezdnego zbocza.

Czubek noża trafił w szczelinę, uczynioną przez Wiosenny Pal Karmelity Plujko, a następnie całe ostrze zagłębiło się w rozmiękły lód, dokładnie w chwili, gdy tobogan sięgnął podnóża wodospadu. Rozległ się dźwięk, jakiego dzieci jeszcze nie słyszały – jakby brzęk rozbijanej szyby wielkiego okna, połączony z dudnieniem armaty. Nóż poszerzył szczelinę, resztka lodu rozpękła się z wielkim hukiem i na jaw wyszły skutki działania widelców, słońca, zębów i tobogonu: wody Padłego Potoku chlusnęły gwałtownie z góry. W jednej chwili, zamiast na powierzchni zamarzniętego stawu u stóp jęzora

lodu, Baudelaire'owie znaleźli się pod grzmią-
cym wodospadem, zalewani hektolitrami wody.
Ledwo zdążyli zaczerpnąć tchu, zanim tobogan
został wciągnięty w toń. Cała trójka trzymała się
dzielnie, lecz Wioletka poczuła nagle, że ramiona, które opasywały ją w talii, oddalają się. Gdy
drewniany tobogan znów wypłynął na powierzchnię, najstarsza z Baudelaire'ów zawołała
straconego przyjaciela po imieniu.

– Quigley!

– Wioletko! – dobiegł ich z daleka głos tro-
jaczka Bagiennego. Lecz tobogan już odpływał
jedną z odnóg Padłego Potoku. Klaus wskazał
palcem: za spienioną ścianą wodospadu mignęła
im sylwetka przyjaciela. Quigley zdołał się uczepić kawałka drewna z ruin kwatery głównej –
drewniany przedmiot przypominał fragment ba-
lustrady, która mogła, na przykład, wieńczyć wą-
skie schodki wiodące do obserwatorium astrono-
micznego. Woda porwała go, razem z Quigleyem,
drugą odnogą Padłego Potoku.

– Quigley! – krzyknęła raz jeszcze Wioletka.

– Wioletko! – odpowiedział Quigley, przekrzykując ryk wody. Baudelaire'owie widzieli
z daleka, jak Quigley wyciąga z kieszeni swoją
księgę cytatów i macha nią w ich stronę. – Czekajcie na mnie! Czekajcie na mnie pod...

Niestety, nic już więcej nie dało się usłyszeć.
Padły Potok, wezbrany nagle od roztopów Fałszywej Wiosny, porwał tobogan i balustradę
dwoma rozchodzącymi się coraz szerzej nurta-
mi. Dzieciom mignęła jeszcze fioletowa okładka
notesu, lecz zaraz potem Quigley skręcił w zako-
le swojego strumienia, a Baudelaire'owie – w za-
kole swojego, i trojaczek Bagienny zniknął im
z oczu.

– Quigley! – zawołała po raz ostatni Wioletka
i zalała się łzami.

– Najważniejsze, że żyje – powiedział Klaus
i otoczył siostrę ramieniem, aby nie spadła
z podskakującego na falach tobogану. Wioletka
nie była pewna, czy jej brat też płacze, czy to tylko wodospad opryskał mu policzki. – Najważniejsze, że żyje – powtórzył Klaus.

– Niezłamany – powiedziało Słoneczko, komunikując coś w sensie: „Skoro Quigley Bagienny dzięki swej odwadze i pomysłowości uszedł cało z płonącego domu, to na pewno i w tej sytuacji sobie poradzi".

Wioletka jednak nie mogła pogodzić się z tym, że przyjaciel oddala się od niej, ledwie zdążyła go poznać.

– Wołał, żebyśmy na niego zaczekali – westchnęła smutno. – Ale gdzie?

– Może będzie próbował dotrzeć do brata i siostry przed orłami... – myślał głośno Klaus. – Tylko gdzie oni mogą teraz być?

– Hotel Ostateczność? – zasugerowało Słoneczko. – Wuzetes?

– Klaus – podjęła swój temat Wioletka. – Przeglądałeś notatki Quigleya. Nie wiesz przypadkiem, czy te dwa strumienie znów się gdzieś łączą?

Klaus pokręcił głową.

– Nie wiem. To pytanie do kartografa, a kartografią zajmuje się Quigley.

– Godot – rzekło Słoneczko, komunikując:
„Nie wiemy ani dokąd iść, ani jak się tam dostać".

– Co nieco jednak wiemy – zauważył Klaus. –
Wiemy, że ktoś przekazał wiadomość osobie
o inicjałach J. S.

– Żak – powiedziało Słoneczko.

Klaus kiwnął głową.

– I że była to wiadomość o spotkaniu w najbliż-
szy czwartek w ostatnim bezpiecznym miejscu.

– Matahari – rzekło z dumą Słoneczko.

Klaus uśmiechnął się i przyciągnął siostrzyczkę do siebie, żeby nie spadła z dryfującego toboganu. Najmłodsza z Baudelaire'ów nie była już,
co prawda, dzidziusiem, ale z pewnością wypa-
dało jej jeszcze siadać bratu na kolanach.

– Tak jest – potwierdził Klaus. – To dzięki tobie wiemy, że ostatnim bezpiecznym miejscem
jest Hotel Ostateczność.

– Tylko że nie wiemy, gdzie go szukać – zauważyła pesymistycznie Wioletka. – Nie wiemy,
gdzie schronili się wolontariusze, o ile ktoś
z WZS w ogóle jeszcze żyje. Nie wiemy nawet, co

oznacza skrót WZS ani czy nasi rodzice naprawdę zginęli. Quigley miał rację. Wiele tajemnic udało nam się rozwikłać, ale wciąż mnóstwa rzeczy nie wiemy.

Klaus i Słoneczko pokiwali smętnie głowami, co i ja bym uczynił, gdybym towarzyszył im w tym momencie, a nie przybył o wiele za późno, aby ich spotkać. Nawet mnie, pisarzowi, który całe swoje życie poświęcił badaniu tajemniczych okoliczności sprawy Baudelaire'ów, pozostało jeszcze wiele rzeczy do odkrycia. Nie wiem, na przykład, co się stało z dwiema bladolicymi, które porzuciły trupę Olafa i zdecydowały się na własną rękę wracać z Gór Grozy. Niektórzy powiadają, że wciąż malują one twarze na biało i występują w smutnych musicalach, śpiewając smutne piosenki. Inni znów twierdzą, że zamieszkały na uroczysku, gdzie próbują hodować rabarbar na suchej, jałowej ziemi. A jeszcze inni upierają się, że bladolice nie przeżyły zejścia z Góry Cug, a ich kości znaleźć można w jednej z licznych jaskiń na zboczu pod osobliwym kwadratowym szczytem. Jednak mimo iż wysłuchałem wszystkich smutnych piosenek, skosztowałem najwstrętniejszego, jaki znam, rabarbaru, i naznosiłem specjalistce od szkieletów tyle kości, że w końcu miała mnie dość i kazała się wynosić – to i tak nie udało mi się ustalić, co naprawdę stało się z tymi dwiema kobietami. Nie wiem, jak już wspomniałem, gdzie leżą szczątki rozbitego barakowozu, i dziś, kończąc wertowanie słownika rymów, który zamyka krótka lista rymów do słowa „żyzny", myślę, że trzeba będzie chyba zakończyć poszukiwania tego zdewastowanego pojazdu i zrezygnować z tej części dochodzenia. Nie zdołałem też wytropić lodówki, w której Baudelaire'owie znaleźli Werbalnie Zamrożone Slogany, chociaż i o niej mówiono, że albo znajduje się w jednej z jaskiń Gór Grozy, albo występuje w smutnych musicalach.

Lecz choć tak wielu rzeczy nie wiem, kilka tajemnic rozwikłałem z całą pewnością. Pewien jestem, na przykład, dokąd trafiły sieroty Baudelaire, dryfujące na tobogganie po wartkich, zanieczyszczonych popiołem wodach Padłego Potoku, który niósł je poza obszar Gór Grozy – całkiem tak samo, jak swego czasu cukiernicę, którą wolontariusz cisnął w nurt, aby uchronić ją przed pożarem. Choć jednak znam dokładnie następne miejsce postoju Baudelaire'ów, a nawet mogę prześledzić trasę ich podróży na mapie, sporządzonej przez jednego z najbardziej obiecujących kartografów naszych czasów, to nie jestem autorem, który potrafiłby to wszystko najlepiej opisać. Autorem zdolnym to opisać z największą precyzją i elegancją był mój kolega po piórze, który – podobnie jak autor *Drogi rzadko uczęszczanej* – już nie żyje. Zanim jednak zmarł, zyskał reputację znakomitego poety, mimo iż, zdaniem niektórych, nazbyt zjadliwie wypowiadał się w swojej twórczości na tematy religijne. Nazywał się Algernon Charles Swinburne, a ostatni czterowiersz jedenastej strofy jego poematu pt. *Ogród Prozerpiny* idealnie obrazuje to, co znalazły dzieci na końcu niniejszego rozdziału swej historii, zanim rozpoczął się rozdział następny. Pierwsza połowa wspomnianego czterowiersza brzmi następująco:

Że żywym żyć wiecznie nie dano,

Że martwi nie zmartwychwstaną,

– i to prawda, że zmarli znajomi i bliscy Baudelaire'ów, na przykład Jacques Snicket, albo ich ojciec, nigdy nie zmartwychwstali. Natomiast w drugiej połowie czterowiersza czytamy:

Że nawet najdłuższa z rzek

Gdzieś w morzu kończy swój bieg.

Tu sprawa znaczenia trochę się komplikuje, bo niektóre wiersze mają w sobie coś z szyfrów i zrozumieć je można dopiero po bardzo wnikliwej analizie. Rzecz jasna, taka poetka jak siostra Quigleya Bagiennego Izadora pojęłaby w lot znaczenie tych dwóch linijek, ale mnie ich rozszyfrowanie zajęło sporo czasu. W końcu jednak domyśliłem się, że określenie „najdłuższa z rzek" odnosi się do Padłego Potoku, który faktycznie przebył z dziećmi długą drogę od spopielałych ruin kwatery głównej WZS, natomiast fraza „gdzieś w morzu kończy swój bieg" dotyczy ostatniego bezpiecznego miejsca, gdzie mogli się zebrać wszyscy wolontariusze, z Quigleyem Bagiennym włącznie. Jak słusznie zauważyło Słoneczko, sieroty Baudelaire nie wiedziały ani dokąd zmierzają, ani jak mają się tam dostać, ale mimo to zdążały tam, gdzie trzeba – i to jest to, co wiem na pewno.

Do niedawna **LEMONY SNICKET** uchodził za „uchodzącego za zmarłego". Nie stwierdzono jednak, aby uchodzące za prawdę pogłoski o jego „uchodzeniu" nie były niewiarygodne. Im dłużej Snicket kontynuuje dochodzenie, tym szybciej rośnie zainteresowanie sprawą Baudelaire'ów. Jak również jego strach.

BRETT HELQUIST urodził się w Ganado, stan Arizona, wychował w Orem w stanie Utah, a obecnie mieszka na Brooklynie w Nowym Jorku. Odkąd uzyskał licencjat w dziedzinie sztuk pięknych na Uniwersytecie Brigham Young, zajmuje się ilustracją. Przetwarzanie na obrazy zaszyfrowanych dowodów, dostarczanych mu przez Lemony Snicketa, wprawia artystę w stan depresji i notorycznie spędza mu sen z powiek.

Szanowny Wydawco!

Przepraszam za wodolejstwo niniejszego pisma, lecz, niestety, atrament uległ rozcieńczeniu, co tu oznacza „nabrał sporej domieszki słonej wody z oceanu i osobistych łez niżej podpisanego". Nie jest łatwo prowadzić dochodzenie na pokładzie uszkodzonej łodzi podwodnej, którą na kolejnym etapie swych przygód zamieszkiwali Baudelaire'owie. Pozostaje mi żywić skromną nadzieję, że przynajmniej resztka tego listu nie spłucze się do cna.

Groźna gr

SERIA NIEFORTUNNYCH ZDARZEŃ

Dotychczas w serii ukazały się: